충청도 국채보상운동

충청도 국채보상운동

초판 1쇄 발행 2016년 12월 31일

지은이 │ 김형목
펴낸이 │ 윤관백
펴낸곳 │ 돌선출판 선인

등 록 │ 제5-77호(1998.11.4)
주 소 │ 서울시 마포구 마포대로 4다길 4(마포동 324-1) 곳마루 B/D 1층
전 화 │ 02) 718-6252 / 6257
팩 스 │ 02) 718-6253
E-mail │ sunin72@chol.com

정가 11,000원
ISBN 979-11-6068-030-0 93910

· 잘못된 책은 바꿔 드립니다.
· www.suninbook.com

충청도 국채보상운동

| 김형목 지음 |

 도서출판 선인

책을 내면서

한 해가 저물어가고 있다. 신문이나 TV 뉴스를 보면 한숨부터 먼저 비명처럼 터져 나온다. 갈수록 삶의 무게가 우리 주변에 어두운 그림자를 드리우고 있을 뿐이다. 계층 갈등, 지역 갈등 등은 이제 해묵은 이야기가 되어버린 지 이미 오래다. 급기야 시민들이 자유와 주권을 회복하기 위하여 길거리로 나섰다. 대한민국의 미래를 위한 촛불시위가 시작되었다. 이를 반대하는 세력도 만만치 않다. 2016년 겨울 대한민국이 직면한 '우울한' 우리의 자화상임을 누구도 부인하지 않는다. 이념적인 논리가 갇힌 현실을 보면서 자괴감마저 느낀다. 대한민국의 시민이라는 사실에서 말이다.

그렇다고 마냥 앉아 있을 수만 없지 않은가. 한가해야할 토요일 오후 서울 시내는 아수라장을 방불케 한다. 지방 도시도 마찬가지 분위기이다. 어떤 외국인 지인은 이것이 역사적인 발전을 위한 진통이 아닐까. 일면 수긍이 간다. 최소한 질서 정연한 시위현장에서 느끼는 공감이다. 그럼에도 총체적인 난국을 극복하기 위한 지혜나 대안을 제시하는 사회적인 지도자는 눈을 씻고 보아도 찾을 수 없다. 서로 다름을 인정하려는 아량과 포용을 가진 인물도 보이지 않는다. 그야말로 캄캄한 미로에서 서성거리고 있을 뿐이다.

양비론 입장에서 누구를 원망하고 탓하고 쉽지 않다. 이와 같은 불행의 씨앗은 기득권을 가진 자들의 만용이 빚어낸 인재(人災)이기 때문이다. 더욱이 지혜를 발휘할 수 있는 자신감도 희박한 나약한 시민이 아닌가. 하루 빨리 수렁에서 벗어난 정상적인 국가시스템이 작동되기를 간절하게 소망한다.

우리 선조들은 일제 식민지라는 미증유의 엄혹한 현실에서도 결코 소국광복을 위한 '희망의 끈'을 한시도 놓지 않았다. 국내는 물론 차디찬 중국 동북지역과 러시아 연해주, 미주나 유럽지역, 심지어 적지 일본 등지에서 목숨을 초개처럼 민족제단에 받쳤다. 이들 대부분은 자신의 이름조차 역사기록에 남기지 못했다. 자신이나 가족보다 민족과 조국을 위해 험난한 고난의 길을 마다하지 않았다. 무한한 나라사랑정신은 일제의 압제를 뚫고 마침내 염원이 성취되었다. 하지만 독립전쟁 현장에서 활약한 선열들 대부분은 이러한 기쁨을 같이 할 수 없었다. 우리는 어떠한 이유를 막론하고 이분들의 희생을 결코 잊어서는 안 된다. 우리의 현재와 미래는 이와 같은 토양분과 밀접한 연관성 속에서 이루어지고 있기 때문이다.

2017년은 나랏빚을 청산하자는 국채보상운동이 일어난 지 110주년을 맞이하는 뜻깊은 해이다. 이는 자산가, 전·현직관료, 상인, 계몽론자 등에 의하여 경북 대구에서 깃발을 올렸다. 이를 신호탄으로 국내는 물론 국외 한인사회로 '들불처럼' 파급되어 나갔다. 각종 미담사례는 사람들의 심금을 울리기 충분한 내용을 담고 있었다. 사회적으로 가장 천대받던 백정·걸인·도둑·죄수·주모 등과 어린이까지 경쟁적으로 참여하는 분위기였다. 당시 참여인원은 12년 뒤에 일어난 3·1운동에 버금갈 정도로 대단한 열기 속에서 진행되었다. 일제의 분열공작으로 소기의 성과를 거두지는 못했으나 한국인 스스로에게 자긍심과 자부심을 일깨우는 삶의 현장이나 마찬가지였다. 참여를 통한 소중한 경험은 사회적인 책무를 절감하는 든든한 정신적인 밑거름이 되었다. 누구도 이에 공감한다.

국채보상운동 참여는 이후 우리 역사에 면연히 독립정신과 민주화정신으로 계승·발전되었다. 일제강점기 물산장려운동이나 농촌계몽운동 등은 이와 깊은 맥락과 맞물려 있다. 일제의 악랄한 수탈에 의한 만성적인 곤궁함에도 서로 돕는 미덕을 발휘하였다. 운명공동체로서 인식과 실천은 생존권을 지키는 귀중한 정신적인 유산임에 틀림없다. 분단과 한국전쟁의 폐허를 딛고 '한강의 기적'을 이룬 저력도 바로 여기에서 찾아진다. 특히 1997년 IMF사태 때 보여준 '금모으기운동'은 90년 만에 국채보상운동이 부활한 역사적인 현장이었다. 혼연일체가 된 저력에 세계인은 감탄사를 연발하는 동시에 부러운 시선을 보냈다.

한국근대사를 공부하면서 국채보상운동에 관심을 가진 시기는 10여 년 전으로 거슬러 올라간다. 이를 토대로 운동을 주창한 김광제 평전인『김광제, 나랏빚 청산이 독립국가 건설이다』라는 제목으로 정리하였다. 근왕주의적 인식에서 벗어나 문화계몽운동론자로서 다양한 활동은 필자에게 공감과 역사적인 안목을 넓히는 좋은 계기였다. 지금도 대한제국기 군단위 계몽운동을 정리하는 가운데 이와 관련된 자료를 수집·정리하고 있다.

여기에 수록된 글은 이미 학술지를 통하여 발표된 글이다. 가독성이 높은 글쓰기를 위하여 도단위로 전개된 국채보상운동을 정리하고 싶었다. 의욕과 달리 절대적으로 부족한 자료로 소기의 목적을 달성하기에는 지난한 작업임을 새삼 깨달았다. 그래서 우선 충청도의 국채보상운동과 충남 보령 출신인 김광제의 현실인식과 계몽운동을 정리하였다. 보완해야할 부분이 너무나 많다. 활동가들의 인생역정이나 정세에 대한

인식 등은 거의 파악하지 못했다. 추후 장시망이나 사회변동 등과 연관시켜 보완하고자 한다.

새해에는 상식이 통하는 한국사회가 새롭게 거듭나기를 기원한다. 패거리 정치와는 거리가 먼 정직한 지도자가 나온다면 다시 도약을 위한 잰걸음이 시작될 수 있으리라 희망적인 기대를 해본다. 좌절과 낙담 속에도 반드시 밝은 미래에 대한 전망은 잉태하고 있었다. 이 책을 통하여 사회적인 역할과 책무가 무엇인지를 다시 한 번 생각해보는 계기가 된다면 망외의 소득이리라.

글이 나오기까지 여러 사람의 도움을 받았다. 항상 격려를 아끼시지 않은 김호일(중앙대학교 명예교수) 은사님을 비롯한 선배·동학·후배님들께 감사를 드린다. 발표 때마다 정성어린 조언을 아끼지 않은 한국민족운동사학회·한국여성사학회 회원들에게도 지면으로 고마움을 표한다. 윤주경 독립기념관 관장님을 비롯한 임직원 모두에게 감사함을 전한다. 바쁜 와중에도 교정을 마다하지 않은 조은경·김송이 학예사, 자료수집을 지원해준 연구소 김나아 연구원과 자료실 황선경 학예사에게 많은 빛을 졌다. 부족한 글을 출판해준 도서출판 선인 윤관백 사장과 편집부원에게도 사의를 드린다.

마지막으로 가정사에 무관심한 남편과 아버지로서 미안함을 아내 구순옥과 민지·태현에게 전한다. 많은 대화로 가족의 정겨움과 아늑함을 느끼는 새해가 될 수 있도록 약속한다. 물론 쉽지는 않으리라 생각되지만 노력을 해 볼게. 주위 모든 분들이 건강하시고 즐거운 나날이 이어지기를 소망한다.

2016년 12월 30일
흑성산 자락에서

차 례

제1장

충청남도의 국채보상운동

제1장
충청남도의 국채보상운동

1. 머리말

국채보상운동은 일제의 경제적인 예속에서 벗어나 자립경제 수립을 도모한 국권회복운동 일환이었다. 이는 '극소수' 매판자본가나 친일세력을 제외한 한국인 대다수가 자발적으로 참여한 국민운동이나 다름 없었다.[1] 주모·노파는 물론 생계조차 막막한 고아원생·걸인·죄수·

---

[1] 지금까지 일진회는 국채보상운동에 반대한 세력으로 평가하였다. 물론 중앙 임원진은 부정적인 입장이었으나, 지회원은 의연금 모금에 동참하고 있었다(대동월보사,「부록, 三和港一進會」,『대동보』2, 1907, 45쪽). 일진회 기관지인『국민신보』사장 崔永年의 부실인 金石子도 참여하였다(『만세보』1907년 3월 2일「女人減餐會發起」, 3월 12일「早春樂事」참조). 이들은 사립학교설립운동이나 야학운동 등 근대교육운동을 비롯하여 계몽운동에 적극적인 입장이었다. 을사늑약 전후 지역사회 신문화운동은 이들에 의하여 주도되는 경우도 적지 않았다. 1905년 현재 일진회가 설립한 사립학교는 34개교에 달하였다(김형목,『대한제국기 야학운동』, 경인문화사, 2005, 78쪽). 이른바 일어학교 설립은 일제침략 강화와 더불어 확산되는 분위기였다(永島廣紀,「일진회의 일어학교에 관한 고찰」,

인력거꾼 등도 동참을 마다하지 않았다. 더욱이 사회적으로 가장 천대와 멸시를 받던 백정·冶匠·창기 참여는 이러한 성격을 잘 보여준다. 한민족이 혼연일체가 되어 전개한 대한제국기를 대표하는 국권수호운동은 바로 국채보상운동이었다.[2]

대한제국기 계몽운동에 대한 연구는 상당한 성과를 거둔 분야 중 하나이다. 추진 배경, 전국적인 전개양상, 주요 활동가, 참가 계층, 취지서 내용, 역사적 성격 등도 거의 대부분 밝혀졌다. 특히 2007년 국채보상운동 100주년에 즈음한 자료집 발간, 기념관 건립과 공원 조성, 학술세미나 개최 등은 당대인이 느꼈던 '사회적인 책무와 나라사랑 정신'을 재조명하는 계기였다. '단순한' 경제운동 차원을 벗어나 자주적인 독립국가를 수립하려는 민족운동으로서 성격 규정은 이와 무관하지 않다.

이와 달리 지방·지역별 사례연구는 일부에 국한되는 등 크게 부진한 실정이다.[3] 시·군단위 사례는 대부분 사실조차 제대로 밝히지 못

『한일관계사연구』 7, 한일관계사학회, 1997 ; 이계형, 「일진회의 학교 설립과 운영」, 『한국근현대사연구』 45, 한국근현대사학회, 2008).

2) 『大韓每日申報』 1907년 2월 27일 잡보 「是母是子」·「兵童俱寄」, 3월 1일 잡보 「婦人義助」, 3월 6일 잡보 「孤兒出義」, 3월 23일 잡보 「車夫出義」, 4월 14일 잡보 「罪囚義연」, 4월 18일 잡보 「釆玉愛國」, 4월 19일 잡보 「海囚義연」 ; 『제국신문』 1907년 3월 11일 광고 「시궁골 상화실」 ; 『만세보』 1907년 3월 3일 「貯蓄金義捐說」, 3월 5일 「兩氏發起趣旨」·「國債報償發起文」, 3월 13일 「比丘出義」 ; 대동월보사, 「부록, 시궁골 상화실」, 『대동보』 2, 75쪽 ; 김형목, 「국채보상운동」, 『충청남도지(근대편)』 8, 충청남도지편찬위원회, 2008, 268쪽.

3) 신용하 편, 『일제경제침략과 국채보상운동』, 아세아문화사, 1994 ; 대구상공회의소, 『국채보상운동사』, 1997 ; 이상근, 「영남지방의 국채보상운동」, 『일제의 한국침략과 영남지방의 반일운동』, 한국근현대사연구회, 1995 ; 이상근, 「경기지역 국채보상운동에 관한 연구」, 『한국민족운동사연구』 24, 한국민족운동사학회,

하였다. 더욱이 주요 활동가의 참여 동기나 현실인식 등도 부분적으로 서술되었을 뿐이다. 金光濟 · 徐相燉 · 梁起鐸 · 배델(裵兌) · 이준(李儁) · 안중근(安重根) 등에 관한 연구는 극히 소략한 수준에서 서술하는 데 그치고 있다. 이마저 사실과 부합되지 않는 등 잘못된 경우도 적지 않다.[4] 이는 민족해방운동 계승 · 발전이라는 측면에서 심각한 문제임에 틀림없다. 조선산직장려계 · 물산장려운동 · 금주단연운동 · 토산품애용

2003 ; 이상근, 「인천광역시 지역의 국채보상운동」, 『인천학연구』 2-1, 인천학연구원, 2003 ; 차선혜, 「국채보상운동」, 『경기도항일독립운동사』, 경기도사편찬위원회, 1995 ; 김기주, 「광주 · 전남지방의 국채보상운동」, 『전남사학』 10, 전남사학회, 1996 ; 김기주, 「전북지방의 국채보상운동」, 『전북사학』 19, 전북사학회, 1997 ; 김도형, 「한말 대구지역 상인층의 동향과 국채보상운동」, 『계명사학』 8, 계명대사학회, 1997 ; 이형주, 「전남지역의 국채보상운동」, 『호남문화연구』 26, 전남대 호남문화연구소, 1998 ; 강대덕 · 박정수 · 최창희, 「강원도의 국채보상운동」, 『횡성 민족운동사』, 횡성문화원, 2003 ; 이송희, 「한말 부산지역의 국채보상운동」, 『백양인문논집』 9, 신라대 인문과학연구소, 2004 ; 오영교 · 왕현종, 「국채보상운동의 전개와 의의」, 『원주독립운동사』, 원주시 · 항일독립운동원주기념사업회, 2005 ; 김형목, 「한말 수원지방 계몽운동과 운영주체」, 『한국민족운동사연구』 53, 한국민족운동사학회, 2007 ; 김형목, 「대한제국기 경북 김천지역 계몽운동 전개와 성격」, 『한국독립운동사연구』 28, 한국독립운동사연구소, 2007 ; 김형목, 「대한제국기 화성지역 계몽운동의 성격」, 『동국사학』 45, 동국사학회, 2008.

[4] 주도자인 김광제는 충남 보령 출신으로 고위 관료를 역임한 인물이었다. 그가 대구에서 서상돈 등 대구광문회 회원들과 국채보상운동을 전개한 이유는 전혀 밝혀지지 않았다. 더불어 고향 인사와 연계된 활동상도 거의 파악할 수 없다. 심지어 同名異人의 행적을 그의 생애와 관련시켜 서술하는 등 사실과 부합되지 않는 측면도 일부 연구에서 나타난다. 주지하듯이 그는 대한협회 · 교남교육회 '지방시찰원'으로서 영 · 호남에서 활발한 강연회를 개최하는 등 적극적이었다 (『황성신문』 1908년 9월 2일 잡보 「協會風潮」 · 「演說에 效力」 ; 편집부, 「회중기사」, 『교남교육회월보』 1, 1909, 47~49쪽). 강연회에는 수백 명이나 운집할 정도로 대성황을 이루었다. 이와 같은 활동상 · 현실인식 · 계몽운동사상 위상 등은 차후에 다루고자 한다.

운동 등 일제강점기 실력양성운동은 이를 계승·발전하는 가운데 전개되었기 때문이다.

충남지방에 대한 연구도 이러한 수준에서 크게 벗어나지 못하였다. 이곳을 대상으로 다룬 전문적인 학술논문은 전무하다. 대부분은 국권회복운동을 언급하는 가운데 피상적·부분적으로 언급하는 정도에 불과하다. 필자는 한말 충남 애국계몽운동을 언급하는 가운데 전개양상과 주요 활동가 등을 일부 다루었다. 이를 수정·보완하여 도내 국채보상운동도 개괄적인 수준에서 정리했다.[5] 하지만 주요 활동가는 물론 지역별 전개양상조차도 제대로 서술하지 못하였다. 이 글은 충남지방 국채보상운동을 추동한 군단위 국채보상소 현황과 전개양상 등을 파악하는 데 중점을 두었다.

우선 충남 도내에 조직된 국채보상소 현황과 「취지서」내용 등을 살펴보았다. 호서국채보상기성의무사를 비롯하여 최소한 20여 단체가 조직되었다. 활동가들은 「취지서」를 통하여 주민들의 자발적·적극적

---

5) 김형목, 「기호흥학회 충남지방 지회 활동과 성격」, 『중앙사론』 15, 한국중앙사학회, 2001 ; 김형목, 「한말 홍성지역 근대교육운동의 성격」, 『남곡재최홍규교수정년기념사학논총』, 논총간행위원회, 2005 ; 김형목, 「한말 천안지역 근대교육운동의 성격」, 『한국독립운동사연구』 30, 한국독립운동사연구소, 2008 ; 김형목, 「한말 애국계몽운동」, 『충청남도지(근대편)』 8, 충청남도지편찬위원회, 2008 ; 김형목, 「한말 서산지역의 국권회복운동」, 『충청문화연구』 2, 충남대 충청문화연구소, 2009 참조.

최근 발간된 군지나 시지 등은 이전과 달리 국채보상운동을 부분적이나마 언급하였다. 하지만 관내 전체적인 전개양상이나 지역적인 특징을 파악한 경우는 극히 드물다. 이는 연구자나 향토사가의 국채보상운동 전반에 대한 관심 부족과 무관하지 않다. 대전지역 국채보상운동에 관한 연구는 이러한 점에서 많은 시사점을 찾아볼 수 있다(김상기, 「애국계몽운동과 대전」, 『대전100년사』 1, 대전직할시, 2002, 366~372쪽).

인 참여를 유도하는 등 노력을 아끼지 않았다. 「선언문」 형태로 발표
된 내용은 국권회복을 위한 일환으로서 국채보상의 당위성을 강조하
였다. 이는 '국채보상=국민의무'로서 인식되는 분위기를 고조시키는 데
일익을 담당했다.[6] 주요 인물은 군수·군주사·재무서원을 비롯한 자
산가·교원·종교인 등으로 이른바 '지방유지'였다.

전개양상은 다른 지방과 마찬가지로 자발적·경쟁적이었다. 향촌공
동체에 입각한 운영방식은 주민들 참여를 적극적으로 유도하는 요인
중 하나였다. 이는 새로운 사회질서를 모색하려는 인식 변화 속에서
이루어질 수 있었다. 다만 모금액수와 참여 인원수는 지역별로 상당한
편차를 드러내었다. 교통요충지나 상업도시 등으로 성장한 지역은 상
인층이나 학생층이 '비교적' 활발하게 참여하였다. 천안·직산·은진·
공주와 내포지역 등지는 대표적인 지역이었다.

한편 의연금 참여는 주민들로 하여금 사회적인 존재성을 일깨우는
동시에 자아를 각성시켰다. 시세변화에 부응한 각자의 능력 배양은 근
대교육운동 활성화로 이어졌다. 한말 충남지방 사립학교설립운동과
야학운동은 이를 배경으로 진전을 거듭할 수 있었다. 일제 침략에 대
한 저항심은 이와 맞물려 증폭될 수밖에 없었다. 경제운동 차원을 넘
어 국채보상운동이 차지하는 진정한 의미는 바로 여기에서 찾아볼 수
있다. 참여를 통한 현실인식 심화는 자아각성과 더불어 사회적인 책무
를 실천하는 에너지원이었다.

---

6) 『황성신문』 1907년 4월 6일 잡보 「國債報償發起所」, 5월 1일 잡보 「兩郡義擧」,
   7월 16~20일 광고 「瑞山郡」, 7월 20~23일 광고 「保寧郡各面各里」.

2. 국채보상소 조직과 취지서

러일전쟁 발발을 전후로 일제는 대한제국에 대한 차관공세를 더욱 강화하였다. 재정고문으로 부임한 目賀田種太郎은 '화폐개혁'을 주도하면서 한국인 화폐자산을 수탈하는 한편 불환지폐인 제일은행권 유통·보급에 혈안이었다.[7] 실질적인 구매력이 없는 통화를 차관으로 들어와 한국 식민지화에 필요한 제반 경비는 이로 대체·사용하기에 이르렀다. 금융공황 발생은 일제의 금융독점을 더욱 강화시켰다.[8] 舊債 상환, 歲計不足補充費 명목의 國庫證券債, 금융공황 구제나 민간금융 지원을 구실로 한 金融資金債 등도 식민지 경영을 위한 기반 조성에 있었다.

통감부를 설치한 일제는 시정개선과 기업자금 명목으로 막대한 차관 도입을 서슴지 않았다. 문명국가 건설은 식민지화의 본질을 은폐하거나 호도하기 위한 명목에 불과할 뿐이었다. 실제는 침략에 소요되는 제반 경비를 고율의 국채를 起債하고 차관 조달을 망설이지 않고 단행하였다. 강화된 차관공세에 따른 국채는 1907년 1월 당시 이미 1,300여만 원에 달하는 거액이었다.[9] 이는 대한제국정부 1년간 예산에 버금갈 정도로 막대한 액수였다. 경제적인 예속에 따른 독립국가 유지는 외채

---

7) 권두영, 「일제침략하의 한국금융 : 개항부터 합방까지」, 『일제의 경제침략사』, 고려대 아세아문제연구소, 1972 ; 김혜정, 「러일전쟁 이후 일제의 고문정치 실시와 목적」, 『한국민족운동사연구』 44, 한국민족운동사학회, 2005.

8) 조기준, 「개화기 일제의 경제침략」, 역사학회 편, 『일본의 침략정책사연구』, 일조각, 1984, 29~34쪽.

9) 오두환, 「한말 차관문제의 전개과정」, 『한국민족운동사연구』 8, 한국민족운동사연구회, 1993, 52~53쪽.

문제로 크게 위협받고 있었다.

국채보상운동은 나랏빚 청산에 의한 자립경제 달성을 통한 자주독립 국가 건설에 있었다.[10] 이는 1907년 1월 대구광문사 특별회에서 사장 김광제와 부사장 서상돈 발의로 시작되었다. 주요 참석자는 朴海齡·金 允蘭·姜信圭·吉永洙 등으로 대부분 대구광문회와 대구민의소 회원들 이었다. 이들은 국채보상 모금을 위한 구체적인 방안으로 군민대회를 개최하였다. 『대한매일신보』를 비롯한 『황성신문』·『제국신문』·『만 세보』 등은 이를 대대적으로 보도했다.[11] 전국적인 관심은 대구로 집중 되는 가운데 경쟁적인 의연금 모금으로 이어졌다. 張志淵은 당시 상황 과 의미를 상세하게 알리는 등 분위기 확산에 크게 이바지하였다.[12]

계몽론자들은 각지에 국채보상소 설립과 아울러 「취지서」를 발표하 는 등 주민들 참여를 적극적으로 유도하고 나섰다.[13] 의연활동은 사회

---

10) 『만세보』 1907년 3월 12일 「警告同胞 金光濟」 ; 박영규, 「국채보상운동 발기과정 에 관한 연구 : 구한말 대구의 계몽·자강운동을 중심으로」, 『중악지』 7, 영남문 화원, 1997 ; 김형목, 「김광제·서상돈 선생 ; 한국의 독립운동가」, 『통일로』 222, 안보문제연구원, 2007.

11) 『大韓每日申報』 1907년 2월 21일 잡보 「國債一千三百萬圓報償趣旨 大邱廣文社 長 金光濟 徐相敦氏等公函」 ; 『황성신문』 1907년 2월 22일 잡보 「廣會建議」 ; 대동월보사, 「國債一千三百萬圓報償趣旨 大邱廣文社長 金光濟 徐相敦氏等 公函 各道」, 『대동보』 초회, 1907, 7~8쪽 ; 최준, 「국채보상운동과 프레스·캠페인」, 『백산학보』 3, 백산학회, 1967.

12) 장지연, 「斷煙償債問題」, 『대한자강회월보』 9, 1907 ; 대구상공회의소, 『국채보 상운동사』, 36~38쪽.

13) 『황성신문』 1907년 3월 13일 논설 「警告觀察郡守」, 3월 28일 논설 「國債發起人及 趣旨一束」 ; 『大韓每日申報』 1907년 2월 27일 잡보 「國債報償期成會趣旨書」, 3월 1일 논설 「한인忠愛」, 5월 19·21일 잡보 「湖西協成會國債報償義捐助告文 李우 尹영 等」.

적인 신분·지위에 상관없이 적극적인 호응을 받았다. 충남인들도 이러한 분위기에서 결코 예외적일 수 없었다. 특히 주창자인 김광제가 충남 보령 출신이라는 사실도 일정 부분 영향을 미쳤다.[14] 도내 주민들의 자립경제에 대한 지대한 관심은 운동을 추동시키는 요인 중 하나였다. 홍주의병장 문석환이 대마도 유폐생활을 기록으로 남긴 『마도일기』에서도 당시 상황을 부분적이나마 엿볼 수 있다.

> 商務社에 이르러 들으니, 담배를 끊은 일로 논의를 내어 임금께 아뢰기까지 하였다고 합니다. 신문에 있으므로 뒤에 보신 뒤에 즉시 담배를 끊는 것이 어떻습니까? 국채를 갚는 일과 백성들이 담배를 끊는 대금을 모으는 일로 임금께 아뢰었더니 下敎하기를 '애처로운 우리 赤子 같은 백성들이 국채의 보상과 담배 값을 모으는 일은 짐이 담배를 피울 수 없으니 담배를 들이지 말라.' 하였답니다. 이 이외에 각처에서 담배를 끊겠다는 말을 신문에 올려서 다 기록하기가 어렵다고 합니다. …(중략)… 내가 말하기를 '한국 백성들은 국채보상의 일로 이와 같이 계획을 하였는데, 여기의 객지살이 하는 사람들도 흡연할 방도가 없는 것은 떠나가

---

14) 이동언, 「김광제의 생애와 국권회복운동」, 『한국독립운동사연구』 12, 한국독립운동사연구소, 1998 ; 이동언, 「대구에서 국채보상운동의 깃발을 세운 김광제」, 『대구의 문화인물』 1, 대구광역시, 2006 ; 박연실, 「김광제의 생애와 활동」, 충남대석사학위논문, 1999 ; 조항래 엮음, 『국채보상운동사 : 국채보상운동100주년기념』, 아세아문화사, 2007.
김광제를 대구 출신으로 잘못 파악한 경우도 있다. 관력도 문경군수 등을 역임한 것은 사실과 다르다(오미일, 『한국근대자본연구』, 한울아카데미, 2002, 192·225~226쪽). 이러한 사실은 원래 본명이 김홍제였으나 을사늑약 이후 김광제로 개명한 사실에 대한 착오에서 비롯되었다.

는 두 사람에게서 이미 목격한 바이오. 이로 말미암아 편지를 써
서 우리들로 하여금 단념케 하는 것이 또한 신민의 도를 닦는 것
이오. …(하략)…15)

이러한 가운데 충청도 54개 군 유지신사들은 주민에 대한 「國債報
償義助勸告文」을 발표하였다. 주요 내용은 다음과 같다.

夫有民然後에 有國ᄒ고 有國然後에 安民은 古今天下之不易之常
理也. 今有民而不得保安이면 國從以弱ᄒ고 有國而不得富强이면
民從以亡ᄒᄂ니 是故로 民之患難에 國必救恤ᄒ고 國之危急에 民
必扞衛가 是謂國而國民而民者也. …(중략)… 惟幸大邱에 刱止
煙之會ᄒ고 京城에 設期成之會ᄒ니 此卽我同胞之第一義務也오
結果之日에ᄂ 卽我同胞之第一幸福也라. 本人等이 오抃雀躍에 不
勝欣喜而顧念我湖中이 亦不可自後於他省故로 玆庸敬告ᄒ오니
毋論男婦老幼ᄒ고 斷飮止煙에 隨力捐義ᄒ고 剋報國債에 重回國
權則仙리長春이 復延於二十八世之寶錄ᄒ고 太和瑞氣가 更回於二
千萬口之同胞矣리니 是爲國家之幸福 人民之幸福. …(하략)…16)

인민이 있은 연후에 국가가 있고, 국가가 있은 연후에 인민의 안락
함이 있음은 고금 천하에 영구불변하는 당연한 이치이다. 본인 등이
손벽을 치고 춤을 추듯이 좋아하고 기쁨을 이기지 못할 뿐만 아니라

15) 文奭煥, 『馬島日記』, 한국독립운동사연구소, 2007, 17쪽.
16) 『대한매일신보』 1907년 3월 7일 잡보 「國債報償義助勸告文 湖中紳士等」; 대구
　　광역시, 『국채보상운동100주년기념자료집 : 대한매일신보 편』 3, 2007, 82쪽.

우리 충청도도 다른 지방에 결코 뒤질 수 없다고 생각하기에 떳떳하게 알린다. 그런 만큼 금액 다소에 상관없이 남녀노소를 막론하고 모두가 의연에 동참하자고 주장했다.

권고문 발표를 전후로 충청도 일대 유지들도 군 단위로 국채보상소 조직과 아울러 의연금 모집에 적극적으로 나섰다. 이들은 국채보상을 인민으로서 반드시 지켜야할 '의무사항'임을 다시 한 번 강조했다. 즉 국가가 위기에 처했을 때 인민은 '국가를 보위할 의무'로서 국채를 인식하기에 이르렀다.

예산군의연금집합소는 취지서를 발표하는 등 활발한 모금활동을 전개하였다. 발기인 鄭洛鎔·李範紹·洪赫周·鄭俊鎔 등 19인은 효율적인 운영 방안을 모색·천명했다. 주요 내용은 "첫째로 목적은 국채보상을 기성하는 데 있다. 둘째로 보상방법은 경내에 거주하는 주민을 대상으로 의연금을 모집한다. 셋째로 의연금은 각자 생활 정도에 따라 금액의 다소에 전혀 구애받지 않는다. 마지막으로 의연한 금액은 반드시 성명과 액수를 신문에 공포한다"는 등이었다.[17] 투명한 의연금 관리와 자발적인 참여를 위한 방안 강구는 주요 내용으로 이목을 집중시키기에 충분한 조건이나 마찬가지였다. 당시 특집란으로 수록된 의연금 참여자 명단과 의연금액 발표는 경쟁적인 참여를 유도하는 요인이었다.

한산군 파주주사 金商翊, 군주사 盧在民, 전주사 洪淳裕, 유지 洪俊裕 등도 「호서국채보상기성의무사취지서」를 발표하는 등 대대적인

---

17) 『황성신문』 1907년 3월 15일 잡보 「國債報償金募集趣旨書」.

모금활동에 앞장섰다.

> …(상략)… 本人等이 組起一社ᄒ니 日湖西國債報償期成義務社
> 라. 要與京畿等處 諸公으로 團合一體ᄒ야 期盡我國民免人責之
> 義務ᄒ오니 嗚呼라 現今烟物이 近이 我土産과 遠이 從埃及呂宋
> 等稱者ㅣ 雖難枚擧나 칙臺如彼之下오. …(중략)… 從玆이 我同胞
> 가 一心團務ᄒ야 勇於止隨胥遯補ᄒ야 상盡國債에 愛國如家之誠
> 을 六大洲에 表著ᄒ後에 購吸世界各種烟香則 其一般淸意味가
> 更何如오. 勉哉 我同胞兄弟여.[18]

발기인은 도민들에 국한하지 않고 전국적인 연대에 의한 모금활동
을 주장하였다. 곧 인근 지역인 경기도인과 공동 보조에 의한 추진 방
향을 새롭게 제시했다. 더욱이 절대적인 금연이 아니라 국채를 보상하
는 그날까지 '한시적인' 단연임을 강조하였다. 활동가들은 동서고금 역
사에서 나타난 인물들의 애국적인 활동을 제시함으로써 의연금 참여
가 갖는 '진정한' 의미를 일깨웠다. 이는 주민들의 적극적인 참여를 유
인하기 위함이자 애국심을 분발시키는 계기로서 작용하였다.

당시 전북 관내였던 금산군 高濟學·박항래 등 13인도 一心同盟會
를 조직하였다.[19] 이들은 취지서를 통하여 국채보상의 시급함을 역설
하기를 주저하지 않았다. 이는 순식간에 군내로 파급되는 등 자발적인

---

18) 『大韓每日申報』 1907년 3월 17·19일 잡보 「湖西國債報상 期成義務社趣旨書
   한山 金商익等」; 도면회·사문경, 『『대한매일신보』로 보는 한말의 대전·충청
   남도』, 다운샘, 2004, 142쪽.
19) 『황성신문』 1907년 3월 18일 잡보 「全羅北道錦山郡國債報償一心同盟趣旨書」.

주민들 의연으로 귀결되었다. 전의군 申昊永·李昌珪 등도 國債報償同心社를 조직했다.[20] 이에 陽村私塾 교직원과 생도 등은 의연금 모집에 노력을 기울였다. 학생들 참여는 인근 지역으로 파급되는 등 사회적인 관심사로서 부각되었다.

은진군 金永善·金永極 등은 취지서 발표와 동시에 조직적인 모금 활동을 벌였다. 이들은 논산시장에 국채보상의무소 사무실을 설치하였다. 취지서 주요 내용은 다음과 같다.

> …(상략)… 噫라 我國이 地不過三千里오 人불過二千萬이라. 量
> 入計出에 一年經費가 常患부족이어든 更以何ᄌ로 償此壹千參百
> 萬圓지巨額乎. 若此불報면 難報家國이오 家國을 未保면 嗟我同
> 胞가 身將安寄오. …(중략)… 此是再生지秋요 重明지日이라. 不
> 揆越참ᄒ고 設此国債報償義務所 於論山場되ᄒ야 以應 嶺南ᄒ기
> 로 玆以仰布ᄒ오니 惟원全國同胞ᄂ 咸須奮義ᄒ야 一體연補에
> 俾勘外채ᄒ면 國民지義務를 可盡이오. …(하략)…[21]

이들은 국채를 보상하지 않으면 가정과 국가는 물론 각 개인의 귀중한 생존권마저도 보호할 수 없다는 절박한 상황을 거론했다. 곧 국채를 갚는 날은 바로 '새로운 삶'을 맞이하는 동시에 국가부강의 기틀을 마련하는 계기임을 강조하였다. '국채=생존권 위협'이라는 상황 설정은 주민들에게 긴장감을 고조시켰다. 국채는 이들에게 '단순한' 개인적인

20) 『황성신문』 1907년 4월 8일 잡보 「國債報償發起會」 ; 김형목, 『한말 천안지역 근대교육운동의 성격」, 『한국독립운동사연구』 30, 94쪽.
21) 『大韓每日申報』 1907년 4월 26일 잡보 「恩津국債報상義금募集趣旨書」.

차원의 문제가 아니라 민족·국가적인 문제로서 각인시키는 요인이었다. 화산면 중리 주민 49명은 회동하여 자발적인 의연금 모집하였다. 즉석에서 모금된 23원 30전을 국채보상기성회로 송부하는 등 대대적인 활동에 착수했다.[22)

부여군 閔俊植·李圭哲 등 8명은 단연동맹회를 발기한 후 취지서를 공포하였다.[23) 구체적인 취지서 내용은 알 수 없으나 다른 지역과 대동소이하리라 생각된다. 이들은 11원을 의연하는 등 솔선수범하는 자세를 가감 없이 보여주었다.[24) 한산·비인·서천군 활동가들은 연합하여 국채보상기성의무사를 조직하는 가운데 적극적으로 모금활동에 동참했다. 曹敦承·尹永基·金柄赫·金箕靑과 商規團頭領 安伯三·金文甫·洪九益 등은 주도 인물이었다.[25) 이에 자극을 받은 竹洞에 거주하는 李士黑는 150냥을 의연하였다. 그는 가세가 빈한함에도 전혀 개의치 않고 국민된 '도리'로서 동참하고 있었다.[26) 미담은 곧바로 인근 지역으로 파급되어 나갔다.

진잠의 朴始陽·朴齊鳳·吳甡根·朴禹緖·朴駿陽 등도 국채보상소를 조직한 후 취지서를 발표하였다. 주요 내용은 "나라에 백성이 없으면 안 되며 백성도 또한 나라가 없으면 안 되므로 나라와 백성은 공존해야 하는데 현재 국가가 위기에 처해 있기 때문에 백성들이 국가를

---

22) 『大韓每日申報』 1907년 3월 28일 잡보 「中里感捐」.

23) 『황성신문』 1907년 5월 1일 잡보 「兩郡義擧」.

24) 『황성신문』 1907년 5월 22일 광고 「忠南夫餘郡道成龍山里」.

25) 『황성신문』 1907년 4월 20일 잡보 「三郡發義」 ; 대구상공회의소, 『국채보상운동사』, 130~131쪽에 재수록.

26) 『황성신문』 1907년 6월 7일 잡보 「李氏愛國」.

도와야 한다. 위기에 처한 국가를 구하기 위해 백성들은 칼날을 무릅
쓰고 끓는 물을 밟는 일도 사양하지 말아야 한다는 것입니다. 아울러
경기·영남은 賢士가 많은데 湖西에는 진정으로 사람이 없겠는가? 오
백년 동안 나라를 위해 충성을 도모함이 어찌 다른 고을보다 못하리
요"였다.27) 이들은 취지서를 통해 호서인의 국채보상운동에 동참할 것
을 권고했다. 나아가 구체적인 실행 방안도 제시하는 등 주민들 관심
을 고취시켰다. 현재까지 파악할 수 있는 충남 도내에 조직·활동한
국채보상소는 〈표 1〉과 같다.

〈표 1〉 충남지방 국채보상소 현황28)

지역별	발기인	보상소 명칭	전거
충남북	충남북 54개군 유지신사	호중국채보상의조회	大 3.7
덕산	조종호·이두재 이봉구·이두복	국채보상수합소	大 3.20, 5.24, 5.28, 6.27
홍주	주태환·황윤수	국채보상기성회	大 6.4, 6.7 ; 만 6.8
청양	양재봉·한명복	청무의성회	황 6.29 ; 만 5.2
해미	채상만·윤명수·지동신 이기남·이근배·이기로	국채보상의무사	황 4.29 ; 大 6.6
공주	성응운·박춘원·김봉여 노원하·이희용·성주환	단연동맹회	황 3.9, 3.11, 3.28 大 5.22-23
충남	이우·윤영 등	호서협성회	大 5.19·21
부여	민준식·이규철 등 8인	단연동맹회	황 5.1, 6.7
예산	정낙용·이범소·홍혁주 정준용 등 19인	의연금모집소	황 3.15 ; 大 9.15
금산	고제학·박학래 등 13인	국채보상일심동맹회	황 3.18, 5.1, 5.22 大 3.19, 6.27

27) 김상기, 「애국계몽운동과 대전」, 『대전100년사』 1, 368~369쪽.

지역별	발기인	보상소 명칭	전거
한산			황 3.8, 4.20 ; 大 3.17
한산/ 비인/ 서천	노재민 · 홍준유 · 조돈승 윤영기 · 김병혁 · 김기청	호서국채보상기성의무사	황 4.20 ; 大 3.17, 3.19
연산	白瑠洙 · 宋鎭泰 등 5인	국채보상회	황 4.11, 5.22
회덕		국채보상소 ; 대전의성사	大 3.20, 5.3, 5.24
천안	심상정 · 조경희 등 15인	국채보상의무회	황 3.28, 4.4, 5.20, 8.5
전의	신호영 · 이창규 등 9인	국채보상동심사	황 4.8, 7.5
면천	김동욱 · 구연표 등 5인	국채보상의동회	황 4.12 ; 大 4.5, 4.19, 5.9
홍산	이중현(군수) 등	상채의연소	황 6.1 ; 大 5.11, 7.4
은진	김영선 · 김영극	국채보상의무소	大 4.8, 4.27
직산	민옥현 · 김세제 · 임경재 오혁근 · 임긍호 등 27인	국채보상금수집소	황 3.12, 3.14, 3.16, 4.10, 6.7-8, 1908.4.10
온양	이보상 · 조종섭 등 8인	국채보상의무사	황 4.6
보령	김상묵 · 최석형 등 3인		황 4.8

〈표 1〉에 나타난 바와 같이, 도내 상당수 지역에 국채보상소가 조
직되었다. 명칭은 국채보상의조회 · 국채보상기성회 · 국채보상일심동
맹회 · 호서협성회 · 국채보상금수집소 · 국채보상동심사 등 매우 다양
하다. 1920년대 널리 사용된 단연동맹회라는 단체명도 사용되었다.

---

28) 김형목, 「국채보상운동」, 『충청남도지(근대)』 8, 264쪽.
　　충남지방 국채보상소 현황은 이 글을 토대로 『대한매일신보』·『황성신문』·
　　『만세보』·『대동보』·『야뢰』 등의 기사를 통하여 보완 · 정리하였다. 물론 〈표
　　1〉에 나타난 국채보상소가 당시 설립된 전부를 의미하지 않는다. 구체적인 명칭
　　은 알 수 없지만, 의연금 모금을 위한 조직은 운영되고 있었다. 다른 지방의
　　경우도 이와 유사한 상황이었다. 1907년 12월까지 전개된 군단위 활동상은 이와
　　관련하여 시사하는 바가 크다.

'국채=의무'로서 인식하는 상황을 반영하듯이, 호서국채보상기성의무
사·국채보상의무회·국채보상의무소·청성의무회 등도 조직되었다.
한산군과 연산군의 경우에는 조직된 사실만 알 수 있을 뿐 취지서 내
용은 전혀 알 수 없다.[29] 「취지서」 내용은 다른 지역과 마찬가지로
유사하리라 쉽게 추측된다.

도내 모금활동은 대부분 이를 중심으로 추진되었다. 물론 직접 중앙
의 국채보상소에 의연금을 보내는 경우도 있었다. 이는 외부 세계와
교류·연대라는 측면에서 중요한 의미를 지닌다. 국채보상운동은 경제
적인 자립과 더불어 참여에 의한 사회적인 모순을 인식·타파하는 데
있었기 때문이다.[30] 근대교육 확산에 따른 현실인식은 이와 같은 다양
한 경험 축적 등에 의하여 더욱 심화되었다.

3. 전개양상과 모금 현황

충남에서 최초로 의연한 사람은 아산에 거주하는 梁召史였다. 그녀
는 주전원경 梁性煥 딸로 이곳 이씨 집안으로 시집 와서 일찍이 과부
가 되었다. 의연 참여에 대한 신문 보도는 전국적인 관심 대상으로 부
각되었다.[31] 아산군 둔포에 거주하는 日新小學校 교직원과 학생들은

---

29) 『황성신문』 1907년 3월 8일 광고 「韓山西下面斗湖全州李氏宗中」, 4월 20일 잡보
「三郡發義」.
30) 『大韓每日申報』 1907년 3월 20일 잡보 「國債報償義金募集趣旨書」.
31) 『大韓每日申報』 1907년 2월 26일 잡보 「夫人愛國」.

용돈을 절약하여 13원 40전을 의연하였다. 이서면 文旨私塾도 이에 동
참하고 나섰다.32) 학생들 활동에 자극을 받은 安鳳三은 적빈한 생계를
꾸려가는 노동자였다. 국채보상의연금 모금 소식에 접한 그는 임금 중
80전을 부인에게 맡겼다. 수일 후 부인에게 지난번 맡겼던 돈을 달라
고 하자, 부인은 2환이라는 거금을 주었다. 이러한 거금을 어떻게 마련
하였는지 부인에게 자초지종을 힐문하던 중, 그는 부인이 '삭발한' 사
실을 알았다.33) 이는 주위에 널리 알려져 주민들 동참을 유도하는 '기
폭제'나 마찬가지였다. 관내 동리 단위로 전개된 경쟁적인 의연금 모금
은 이러한 사실을 잘 반증한다.34) 특히 장수동 이주선 부실 최소사, 임
봉호 부실 유소사 등과 고용인 金相玉·李周永 등도 각각 50전을 의연
하였다. 부인들과 고용인 참여는 사회적인 관심을 고조시키는 밑거름
이었다.35)

공주군은 단연동맹회를 중심으로 모금을 전개했다. 군수 金甲淳이
시장에서 연설회를 개최하자, 成應運·朴春元·金鳳汝·盧源河 등은
지원을 아끼지 않았다. 현장에서 모금된 금액만도 수천 환에 달하는
상황이었다.36) 明化學校와 공주공립보통학교 교직원과 생도 등도 모

32) 『황성신문』 1907년 3월 11일 광고 「牙山郡私立日新小學校」, 4월 10일 광고 「牙山
郡日新學校」, 4월 20일 광고 「牙山郡 二西 文旨私塾」 ; 대동월보사, 「부록, 牙山
郡私立日新學校」, 『대동보』 2, 56~57쪽.
33) 『만세보』 1907년 3월 28일 「削髮義捐」 ; 『황성신문』 1907년 3월 27일 잡보 「賢哉
婦人」.
34) 『大韓每日申報』 1907년 4월 6일 광고 「牙山敦義面城동」, 4월 16일 광고 「牙山
屯浦」.
35) 『황성신문』 1907년 4월 19일 광고 「牙山長水洞」 ; 『大韓每日申報』 1907년 3월
9일 잡보 「철粥尤奇」, 4월 24일 잡보 「花間放筆」.

금 대열에 앞장섰다. 명화학교 金永熹 등 50여 명은 35환 40전, 공립보통학교 沈驥燮 등은 17원 31전 5리를 각각 의연하였다.[37] 군인들도 자발적인 참여하에 조직적으로 참여했다. 공주주둔군 李秉殷을 비롯한 103명은 100환을 모금하였다.[38] 갑사·동학사·개심사·대자암·사자암·신흥암·영은사 승려 등은 적극적인 참여를 마다하지 않았다. 기독교인과 明信女學校 생도도 자발적으로 동참하였다.[39] 이러한 분위기는 관내 중국인 동참으로 이어지는 등 주민들 초미의 관심사로 부각되었다. 華商들의 자발적인 모금은 점차 인근 지역으로 파급시키는 '희소식'이었다.[40]

덕산군 유지신사 李斗馥·趙鍾灝·李斗宰 등은 국채보상회를 조직하였다. 임원진은 소장 조종호, 부소장 李智憲, 감독 이붕구·이두재, 재무 劉仲鉉 등이었다.[41] 이들은 「취지서」를 통하여 국채보상을 의무

---

36) 『만세보』1907년 3월 24일 「公倅激感群民」, 5월 25일 「公郡義金」 ; 『황성신문』 1907년 3월 9일 광고, 3월 28일 잡보 「國債發起人及 趣旨一束」.
김갑순은 매판·친일관료로서 대단한 부를 축적하는 한편 사회적인 영향력도 대단하였다. 특히 일제강점기에는 충남지역을 대표하는 지주 중 한 사람이었다(지수걸, 「일제하 공주지역 유지집단 연구 : 사례 2: 김갑순(1872~1960)의 '유지기반'과 '유지정치'」, 『한국독립운동사연구』, 우송조동걸교수정기념논총간행위원회, 1997 ; 이용선, 「충청의 토지대왕 김갑순」, 『조선거상』, 동서문화사, 2004). 이처럼 지방관 중 현실에 '적절하게' 순응하면서 자신의 정치적인 기반을 공고하는 동시에 사회적인 영향력을 행사하는 인물도 적지 않았다. 특히 계몽운동에 열성적인 지방관 상당수는 이러한 유형의 인물이었다.
37) 『황성신문』1907년 3월 21일 광고 「忠淸南道公州府私立明化學校內」.
38) 『황성신문』1907년 3월 25일 광고 「公州駐隊」 ; 대동월보사, 「부록, 忠淸道各郡義捐」, 『대동보』4, 62쪽.
39) 『대한매일신보』1907년 7월 31일 광고 「忠南公州府耶蘇敎堂, 全女學徒」.
40) 『황성신문』1907년 7월 6일 광고 「公州郡」, 7월 8일 광고 「公州郡(續)」.

로서 강조하는 등 자발적인 동참을 요청하였다. 소식을 접한 관내 鄭
寅英은 가세 빈한함에도 불구하고 주민들을 설유하는 등 지원을 아끼
지 않았다. 70세 노파인 임소사와 유기점을 운영하는 과부 박소사의
각각 20전 의연은 분위기를 확산시키는 요인이었다.[42] 내면 봉동 사는
12세 李觀求도 의연금 모금일을 맞아 신화 50전을 내놓았다. 특히 侍
洞에 거주하는 노파 임소사와 고용인 金才華·洪九奉·權鍾植 등 참여
는 주민들에게 '신선한' 충격을 주었다.

> 德山 內面 鳳동 居 童蒙 리觀求난 年今十二歲인딕 開會日 新貨
> 五十錢을 上納ᄒ엿고 內面 侍동 居 任召史난 年今六十餘歲인딕
> 無依無托ᄒ 單獨一身으로 新貨二十錢 納上하얏고 侍동 雇傭人
> 金才華난 年이 十五인딕 新貨五十錢을 納上ᄒ얏고 侍동 雇傭人
> 權鍾式 年六十餘歲딕 신貨六십錢 納上ᄒ얏고 본會有司 張載甲
> 은 素以至貧之人으로 聞此義舉ᄒ고 忠義之心이 激發ᄒ야 會中
> 所任을 自請ᄒ고 신貨二圓을 納上ᄒ얏고 土器店寡 居 朴召史은
> 年今七십의 又兼至貧인딕 二십錢을 納上ᄒ얏고 二月 初三일卽
> 본郡 大川市場인딕 自본所로 趣旨를 演說于衆人之後 有一喪人
> 入座日 罪生은 居于仁川港 杳동ᄒ은 리긔鼎인바 義연 一朔金은
> 已納仁川본會所이나 適過此地타가 今聞貴會所演說본意則 均是
> 同胞臣民으로 不可越視而過去 故一期 金二십錢을 又玆납上이라
> ᄒ얏더라.[43]

41) 『大韓每日申報』 1907년 3월 20일 잡보 「國債報償義金募集趣旨書」·「鄭氏奬勵」,
   5월 24일 잡보 「德山郡國債報償趣旨書」, 7월 7일 잡보 「趙氏憂國」 ; 『황성신문』
   1907년 5월 28일 잡보 「德郡義捐」.
42) 『大韓每日申報』 1907년 4월 12일 잡보 「出義可尙」.

인천항 답동에 거주하는 이기정은 喪主로서 이곳을 지나가다가 연설하는 소리를 듣고 참여하였다. 이러한 소식은 급속하게 각지로 파급되어 나갔다. 이는 사립학교설립운동을 추동시키는 요인이나 마찬가지였다.

홍주군 의연금 모집은 동리 단위나 학교별·관청별로 대부분 이루어졌다. 鳥史面에 대한 보도는 주민들로 하여금 참여를 촉발시켰다.[44] 동리 단위인 지역별이나 문중을 중심으로 나타난 명단·의연금액 등 대체적인 윤곽은 이를 반증한다. 홍주세무소 임직원 일동은 이러한 분위기를 주도하고 나섰다.[45] 세무관 李胤榮과 주사 丁最燮 등은 37환을 모금하여 황성신문사로 보냈다. 특히 番川面 유학 朱台煥과 전진사 黃允秀 등의 국채보상기성회는 이를 주도한 중심단체였다.[46] 이들은 취지서를 통하여 전주민의 동참을 호소하였다. 취지에 공감한 주민들은 의연금 모금에 적극적으로 동참하는 등 지원을 아끼지 않았다. 13세 張鳳春 의연은 모범적인 사례로서 널리 칭송되는 계기를 맞았다.[47] 관내 모금운동 확산은 「취지서」 발표 이후에 급속하게 확산되었다. 홍주군의금수집소 조직과 동시

---

43) 『大韓每日申報』 1907년 4월 24일 잡보 「特異義捐」.
44) 『만세보』 1907년 5월 19일 광고 「國債報償期成會」.
   면내 의연금은 城上里 2환 50전, 眞方里 1환 94전, 松巖里 1환 94전, 竹上里 5환 94전, 佳東里 2환 94전, 佳中里 1환 94전, 竹下里 1환 74전, 竹中里 1환 20전, 廣濟里 4환 34전, 茅山里 1환 94전, 鳥西里 3환 54전 등이었다.
45) 『황성신문』 1907년 3월 19일 광고 「洪州稅務所」.
46) 『만세보』 1907년 6월 8일 「洪州郡 番川面 國債報償期成會趣旨書」; 『大韓每日申報』 1907년 6월 7일 잡보 「洪州郡 番川면 國債報償會趣旨書」.
47) 『大韓每日申報』 1907년 4월 5일 잡보 「張童出연」.

에 활성화된 운영은 당시 분위기를 그대로 보여준다. 특히 사립홍명보통학교 임원진과 생도 등 의연금 대열 참여는 신선한 충격으로 다가왔다. 현실참여는 학생들로 하여금 사회적인 책무를 느끼는 현장교육 바로 그것이었다.[48]

아산·목천·청안 유림들 동참은 국채보상의 중요성을 다시금 일깨우는 계기였다. 이들은 국민의무를 실행하는 일환으로 생활정도에 따라 매호 3~6냥씩을 차등 부과하였다.[49] 목적은 시세변화를 직접 인식시키기 위함이었다. 강제적인 의연금 징수를 비난하는 경우도 적지 않았다. 이들은 전혀 개의치 않고 본래 목적한 바를 관철시켜 나갔다. 향촌공동체 운영 방식에 의거한 모금은 주민들의 경쟁적인 참여를 유도할 수 있었다. 이러한 모금방식은 사립학교설립운동이나 야학운동 등에도 그대로 활용하여 상당한 성과를 거두었다. '공공성'에 입각한 사회운동은 민족운동으로 진전되는 밑바탕이나 다름없었다. 천안군 沈相鼎·趙慶熙 등의 義務會 조직도 이와 무관하지 않다.[50]

48) 『大韓每日申報』1907년 4월 7일 광고 「洪州郡城枝面山陽里」·「洪州郡城枝面下梧里」, 7월 20일 광고 「忠淸南道洪州郡금동面英村」;『만세보』1907년 5월 22일 광고 「홍주군 유곡면 월현리 사립홍명보통학교」.
49) 『大韓每日申報』1907년 3월 24일 잡보 「排斂弗可」; 김형목, 「한말 천안지역 근대교육운동의 성격」, 『한국독립운동사연구』30, 93쪽.
　　공동체적인 모금방식은 전주민의 참여하는 유도하는 데 유효한 방법 중 하나이다. 마을이나 강한 족적 단위인 문중 동참은 여기에서 연유하였다. 다만 사회구성원의 의견을 도외시한 강제적인 모금은 지속적인 활동을 저해하는 요인 중 하나였다. 8월 이후 국채보상운동의 급격한 쇠퇴는 이와 관련하여 많은 시사점을 던져준다.
50) 『황성신문』1907년 3월 28일 잡보 「國債發起人及趣旨一束」.

직산은 개항 이래 금광 개발과 더불어 도내에서 배외의식이 고조된 지역 중 하나였다. 빈번한 노동자파업은 외래인에 대한 경계심 앙양과 더불어 지역민의 현실인식을 심화시키는 요인이었다.[51] 대한자강회나 대한협회 직산지회 설립과 활발한 계몽활동은 이러한 사실을 잘 보여준다. 군수 郭璨은 유지들의 국채보상수집소 활동을 적극적으로 지원하였다. 1,000환 달하는 모금에 자극을 받은 그는 국채보상운동 선전을 위한 연설회장에서 월급 중 40환을 의연하는 등 후원을 아끼지 않았다.[52] 이는 주민들에게 커다란 감동과 아울러 적극적인 동참으로 이어졌다. 경위학교 학생들 동참은 분위기 조성에 크게 이바지하였다.[53] 성환 학소동 崔斗卿 가족과 고용인들의 의연은 당시 상황을 반증한다. 최두경은 그리 넉넉하지 않은 생활임에도 가사를 방매한 대금 중 50환을 흔쾌히 의연하였다. 아들 崔性學은 2환, 부인 서씨는 은반지 1개(시가 2냥 5전), 모친 이씨는 은비녀 1개(시가 1냥 2전)를 각각 의연하는 등 가족들 동참으로 이어졌다. 고용인 廉英麟·尹福釗도 각각 1환과 10전을 의연하는 등 주민들 사이에 널리 회자되었다.[54] 林炳郁은 「국채보상장려사」를 발간·반포하는 등 적극적인 참여를 마다하지 않았다. 그는 문중 남녀노소를 설득하여 상당한 호응을 얻었다.[55]

청양군은 지리적인 요인 등으로 다른 지역보다 약간 늦은 4월에야

51) 황서규, 『일본의 직산금광 탈취사』, 한국문화, 1998 참조.
52) 『황성신문』 1907년 3월 16일 잡보 「穆守義捐」 ; 김형목, 『한말 천안지역 근대교육운동의 성격」, 『한국독립운동사연구』 30, 92쪽.
53) 『황성신문』 1907년 6월 3일 광고 「私立經緯學校學徒」.
54) 『황성신문』 1907년 3월 16일 잡보 「渾家義捐」.
55) 『황성신문』 1907년 3월 12일 잡보 「出義爭先」, 3월 29일 잡보 「林氏全家義捐」.

시작되었다.[56] 관내 동리별 모금액은 145환 25전에 달하는 거금이었
다. 上赤里에 거주하는 趙載光·李重冕·孔錫泰 등은 3월 말경 국채보
상기성회에 찬성하는 전문을 보냈다.[57] 이들 의도와 달리 모금활동은
곧바로 착수되지 못하는 실정이었다. 본격적인 의연금 모금은 靑武義
成會가 조직된 6월 하순부터였다.[58] 미약한 군세만큼 활동상도 크게
부각되지 않았다. 물론 참여자 비율은 인근 지역에 비하여 결코 적지
않았다.[59] 주민들 자발적인 참여는 이러한 분위기를 조성하는 요소였
다. 관내 査明學校에서 의연금을 모집하자, 인근 주민들은 물론 다른
군에서도 호응하였다. 당시 모금된 금액은 26원 10전이었다.[60] 신창
군·서흥군 등도 이와 유사한 상황에서 크게 벗어나지 않았다.[61] 결국
지방관이나 주요 활동가 역할은 지역별 국채보상운동 활성화를 가늠
하는 요인이나 마찬가지였다.

　해미군은 4월 중순부터 국채보상 활동을 전개하였다. 초기 활동이
부진하자, 崔相晩·李基魯 등은 「해미군국채보상의무사취지서」를 발
표하는 등 주민들 관심을 집중시켰다.[62] 집성촌을 중심으로 한 의연금

---

56) 『황성신문』 1907년 4월 12일 광고 「忠淸南道靑陽郡」.

57) 『만세보』 1907년 5월 2일 「捐金寄書」.

58) 『황성신문』 1907년 6월 29일 광고 「靑陽郡靑武義成會」.

59) 『大韓每日申報』 1907년 5월 4일 광고 「靑陽北下面內下高里十二洞」, 6월 9일
　　광고 「靑陽西下面上梧里」.

60) 『大韓每日申報』 1907년 5월 3일 잡보 「本校義捐」.

61) 『황성신문』 1907년 6월 6~7일 광고 「瑞興郡」 ; 『大韓每日申報』 1907년 6월 19~20
　　일 광고 「忠淸南道新창郡」, 7월 8일 광고 「忠南新창郡小泉面水餘里」.

62) 『大韓每日申報』 1907년 6월 6일 잡보 「海美郡國債報償義務社趣旨書」 ; 김형목,
　　「한말 서산지역의 국권회복운동」, 『충청문화연구』 2, 18쪽.

모집은 대단한 성과를 거두었다. 이는 12월 말까지 지속되는 등 단기
간 활동에 그치지 않았다.[63] 문중을 중심으로 한 경쟁적인 모금도 추
진되었다. 도내 연산김씨·한산이씨·임천조씨·전주이씨와 회덕군 은
진송씨 등은 대표적인 가문이었다.[64]

6월부터 시작된 대흥군은 가장 많은 참여를 기록하였다. 尹茂善·李
起完 등 400여 명은 501환 30전을 모금했다.[65] 모금활동은 11월 중에
가장 활성화되었다. 2,000여 명이나 동참하는 대대적인 성황은 이 시
기에 이루어졌다. 이는 모금 열기가 거의 사라지는 상황에서 진행되는
등 국채보상운동사상 중요한 의미를 지닌다. 지역적인 여건과 운동주
체에 따라 다양하게 전개된 상황을 반영하기 때문이다.[66]

금산군은 비교적 빠른 3월부터 국채보상일심회 조직과 더불어 시작
되었다. 발기인 高濟學과 朴恒來 등 13인은 취지서를 발표하였다.[67]
운영규칙인「應行節目」은 주민들 관심을 촉발시키기에 충분한 요인이
었다. 주요 내용은 "금액 다소에 관계없이 의연금을 모금한다. 의연한
인명과 금액은 매월 말 신문광고에 게재한다. 남녀노소에 관계없이 관
내에 거주하거나 잠간 머무른 사람도 참여할 수 있다." 등 외지인 참여

---

63) 『황성신문』 1907년 12월 17일 광고 「海美一道面」, 12월 22일 광고 「海美高北面
   上道」.
64) 『황성신문』 1907년 3월 8일 광고 「韓山西下面斗湖全州李氏宗中」; 『만세보』
   1907년 3월 16일 잡보 「宋氏發起出義」; 『大韓每日申報』 1907년 4월 10일 잡보
   「五門出捐」; 대동월보사, 「부록」, 『대동보』 2, 46~47쪽.
65) 『황성신문』 1907년 6월 6일 광고 「忠南大興郡」.
66) 『황성신문』 1907년 11월 12~22일 광고 「大興郡」.
67) 『황성신문』 1907년 3월 18일 잡보 「全羅北道 錦山郡國債報償一心同盟趣旨書」.

를 유도하였다. 이는 장시일에 즈음한 유동인구에 주목한 점에서 신선
한 자극제였다.

특히 島村에 11세 소년 서호석의 의연으로 계기로 확산되는 분위기
였다. 국채보상운동에 대한 그의 '정성어린' 마음은 심금을 울릴 만큼
대단하였다.

> 國치報상事에 內告其母親曰 外聞에 국치報상ᄒ기로 人人이 或
> 斷烟도 ᄒ며 或減飯도 ᄒ야금 額을 판納ᄒ다 ᄒ고 且負치ᄒ고
> 難保ᄒ기는 家與國이 一般인듸 國치가 極爲多多ᄒ다하니 自吾
> 家로 錢千起나 연納ᄒ야 국치를 報償케ᄒ이 何如ᄒ잇가. 其母親
> 이 欲시其意ᄒ야 佯答曰 吾가에 本無所貯ᄒ고 孤寓玆土어늘 何
> 以措판고. 호석이 答告曰 向讀通鑑에 爲國者는 不顧가라ᄒ니 設
> 或 가勢가 弗섬이라도 國債未報가 與가債未보로 無異ᄒᆯ 듯ᄒ오
> 니 期於연納ᄒᆸ시다 ᄒ거늘, 其母親이 心甚嘉尙ᄒ야 依其言許
> 지ᄒ듸, 호錫이가 中에 來王ᄒ는 賓客을 外請ᄒ야曰 국債보상事
> 에 舊貨一千兩을 捐出ᄒ기로 我承母旨ᄒ얏스니, 諸客은 願與我
> 合算ᄒ야 以圖보債ᄒᄌᄒ듸 賓客이 聞지者 莫弗飴異而歎服曰
> 可謂有是父有是子라ᄒ고 遂乃合收ᄒ즉 금額이 乃爲壹百貳拾五
> 圓貳拾錢也라 ᄒ더라.[68]

그는 의연금 모금을 단지 자신 가족에게만 결코 한정하지 않았다.
주민들을 대상으로 '공동기금' 형식으로 이를 추진하는 기지를 발휘하
였다. 이는 주민들의 분발심을 촉구하는 동시에 분위기를 고조시키는

[68] 『大韓每日申報』 1907년 4월 18일 잡보 「徐童可尙」.

요인으로 작용하는 중요한 계기였다. 금산상무사원의 '의무금'으로서 국채보상금을 의연한 사실은 이를 반증한다.[69] 군서기 金相允·金東煥 등 38명은 의연금을 보낸 후 조직적인 활동과 주민들 참여를 유도하기 위한 취지서를 발표하였다. 장날 등을 이용한 선전활동도 대대적으로 전개했다.[70]

도내 국채보상운동은 이와 같이 특정한 지역에만 국한되지 않았다. 이는 동시다발적으로 전개되는 등 적극적인 주민들 참여 속에서 대단한 호응을 받았다. 자발적인 학생들 동참은 일제의 경제적인 침략 실상을 인식하는 동시에 항일의식을 일깨우는 '교육현장'이었다.[71] 민족정신·국가정신 고취는 이러한 가운데 자연스럽게 이루어졌다.

일부는 국권회복을 위한 구체적이고 새로운 대안을 모색하는 단계로 나아갔다. 상인들은 자신들 생존권을 위협하는 경제적인 침략상을 직접 목도·체험하는 중요한 계기나 마찬가지였다. 특히 여성들 동참은 사회적인 존재성과 자기정체성을 부분적이나마 인식하기에 이르렀다. 이는 일상사 변화와 더불어 새로운 사회질서를 모색하는 요인이었다. 관내 군단위 의연금 모금현황과 주요 동참자는 〈표 2〉와 같다.

---

69) 『大韓每日申報』1907년 4월 6일 광고 「全北 錦山郡」·「錦山商務右支社」, 5월 10일 잡보 「徐氏유자」.

70) 『大韓每日申報』1907년 5월 9일 잡보 「錦山郡書記 金相允 金東煥 合三十八人이 國치義捐金來納人名金額을 前報에 已爲揭載ᄒ야거니와 其寄函이 如左」.

71) 김형목, 「국채보상운동」, 『충청남도지(근대편)』 8, 266쪽.

〈표 2〉 충남지방 의연금 모금현황[72)]

군명	주요 의연자	의연자수	금액	전거
아산	일신소학교	유창로 등 수백 명	214원 67전	황 1907.3.11, 3.27-28, 4.8, 4.18-20, 5.10, 7.5, 8.5 ; 大 1907.5.2., 5.24 만 1907.3.28, 4.13, 5.5, 5.11 ; 경 1907.4.26
진잠	북면 성전	이응회 등 658명	253원 38전 5리	황 1907.5.27, 6.18, 11.6-7 ; 대 1907.7.21
보령	장전학교 등	신현묵 등 1,641명	412원 40전	황 1907.4.17, 4.18, 6.20, 7.19, 7.20, 7.23, 11.6, 1908.1.10 ; 대 1907.5.23 만 1907.4.23
천안	군서면 서당리	안제원 등 1,046명	207원 47전 5리	황 1907.4.4, 4.10, 4.19, 5.7, 5.15, 5.18, 8.20-21 대 1907.7.9 ; 大 1907. 5.9
직산	국채보상금수집소	민옥현 등 1,890명	3,753원 32전	황 1907.3.14, 3.16, 3.29, 4.19-20, 5.10, 6.1, 6.3, 6.8, 6.18 ; 大 1907.5.19, 9.22, 12.8
신창	대동면 보옥동	홍재원 등 30명	18환 45전	황 1907.6.7
홍산	국채보상소, 홍산분파소	군수 등 수백 명	244환 50전	황 1907.4.20, 6.1, 10. 12-13 ; 경 1907.4.26
부여	단연동맹회	민준식 등 140명	75환 50전	황 1907.4.8, 5.1, 5.21, 5.22, 5.25, 5.28, 6.7 대 1907.5.21, 5.28
서산	군내	이병재 등 1,930명	1,257환 12전	황 1907.5.27, 6.7, 6.18, 7.16, 7.17, 7.18, 8.6, 8.20
당진	외맹면 통정리	조종민 등 수백 명	145원 80전	황 1907.5.28, 6.8
예산	의연금모집소	정낙용 등 19명		황 1907.3.15
비인	仁름학교	전재복 등 37명	10환	황 1907.4.30

군명	주요 의연자	의연자수	금액	전거
한산	서하면 두호 전주이씨종중	이회규 등 12명	신화 6원	황 1907.3.8. 대 1907. 7.2
연산	읍내	이종국(군수) 등 220명	45원 25전, 600원	황 1907.4.26, 5.22 대 1907.7.21. 大 1907. 5.8
서천	외동면 산북 전주이씨종중	이성의 등 5명	4환	황 1907.3.8. 大 1907.5.2, 5.29
전의	양촌사숙 등	신호영 등 120명	20원 92전	황 1907.7.5., 9.27 대 1907.7.24. 만 1907. 4.16, 5.10
온양	동상면 월천리	이규방 등 수백 명	51원 62전 5리	황 1907.4.9, 4.23, 6.5, 6.27 ; 만 1907.3.8, 4.6, 4.14, 4.23, 4.26, 4.30 대 1907.7.27 ; 경 1907. 4.6 ; 大 1907.5.2
은진	강경포 보명학교	방관석 등 수백 명	182원 8전	황 1907.4.29, 7.31, 9.6 ; 대 1907.7.26 ; 만 1907. 4.13 ; 大 1907.5.9
면천	군내	오인수 등 1,137명	415원 3전	황 1907.4.26, 7.18, 7.19, 9.26, 1908.1.15 ; 大 1907.5.9
석성	삼산학교	조희준 등 100명	45환 70전	황 1907.7.8. 大 1907. 5.23
오천	천북면 덕두리	이춘식 등 수백 명	109원 35전	황 1907.5.23, 11.23-24
임천	인의면 중산기독교회	조동식 등 77명	29환 25전	황 1907.6.1
해미	국채보상의무소	이순규(군수) 등 1,763명	848환 79전	황 1907.4.22.-23, 4.29, 8.22-23, 10.1, 12.17, 12.22 ; 大 1907.5.5
결성	광천면	이돈헌 등 1,000명	338원 90전	황 1907.6.4, 8.3 대 1907.7.3
대흥	군내	윤무선 등 2,543명	1,053원 58전	황 1907.6.6, 11.12-22

군명	주요 의연자	의연자수	금액	전거
공주	반포면 원봉동	임헌도 등 수천 명	1,727원 61전 5리	황 1907.3.9, 3.12, 3.21, 3.25, 4.29, 6.3, 6.22, 6.27, 7.6, 7.8, 7.24, 8.7, 10.16 ; 대 1907.7.31. 만 1907.4.4, 4.14, 5.14 大 1907.5.3
청양	군민	서상종 등 1,000명	305원 60전	황 1907.4.12, 4.30, 6.29 만 1907.5.2. 大 1907.5.4
회인	읍내면 눌곡리 박씨문중	박순행 등 100명	12원 15전	황 1907.4.30, 6.29
금산	부북면 제원사리	박노원 등 515명	342원 28전	황 1907.4.12, 5.1, 5.16, 9.6 ; 만 1907.3.31 大 1907.4.6, 5.2
홍주	의연금수집소	이윤영 등 천여 명	645원 59전 4리	황 1907.3.19, 6.20 대 1907.7.2 ; 大 1907. 5.22, 6.4 ; 만 1907. 4.23, 5.12, 5.22, 6.8
연기	북이면 봉암	윤태익 문중과 동민	8원	대 1907.7.18, 8.16
회덕	주안면 사성	육정균 등	15원 40전	大 1907.5.3, 5.28
남포	내북면	이익호 등 수백 명	76원 44전	황 1907.6.21, 7.15 대 1907.7.18, 8.8
덕산	대덕산면 신부	조정화 등 수백 명	717원 38전 5리	대 1907.7.10, 7.11, 7.24 大 1907.5.2, 5.28
목천	만각의숙 등	학동 등 352명	120원 90전 5리	황 1907.4.17, 4.23, 4.26, 5.8, 5.15, 6.5, 6.25 대 1907.7.14, 7.18, 7.24 大 1907. 5.8, 6.5 만 1907.4.23, 5.26

72) 모금액은 신화·구화나 원·환 단위 등으로 표기되어 정확한 액수는 파악할 수 없다. 다만 전체적인 참여 열기나 모금활동 등 전체적인 윤곽은 어느 정도 엿볼 수 있다.

〈표 2〉에 나타난 바처럼, 관내 주민들은 열성적으로 참여하는 상황이었다. 물론 참여 인원수나 모금액은 상당한 편차를 보인다. 이는 각 지역별 사회·경제적인 여건이나 운동주체의 역량 등과 무관하지 않다. 외형상으로 드러난 특징은 다음과 같이 정리할 수 있다.

첫째로 지역별로 상당한 편차를 보인다. 대흥·공주·천안·직산·서산·홍주·해미·보령·결성·면천 등지는 활발하게 전개되었다.[73] 이곳은 최소한 1천 명 이상이 동참할 정도로 매우 적극적이었다. 대흥·공주·직산군은 2천여 명이나 참여하였다. 이러한 지역은 관내 행정 중심지이거나 상업·교통도시의 성격을 지닌다.[74] 내포지역과 천안·직산 등은 대표적인 경우이다. 모금액수는 참여 인원수와 반드시 비례하지 않았다. 주요 활동가 열의와 경제적인 여건이 모금에 주요한 요인으로 작용하지 않았는가 생각된다.

둘째로 종교인 특히 불교계의 적극적인 참여를 엿볼 수 있다. 논산·공주·노성 등지에서는 기독교인과 기독교계 사립학교 교직원·학생 등도 참여하였다.[75] 다른 지역의 조직적인 참여는 드러나지 않는다. 기독교인 중 개인별 참여는 곳곳에서 있었다. 반면 불교계는 조직적으로 모금활동을 전개하는 양상이었다. 마곡사·개심사·갑사·영은사 등은 대표적인 경우이다. 이는 불교계의 사회적인 참여

---

73) 김형목, 「한말 서산지역의 국권회복운동」, 『충청문화연구』 2, 19~22쪽.
74) 田中市之助, 「忠淸南道産業都市」, 『大田發展誌』, 대전실업협회, 1921, 181~270쪽 ; 富村六郎, 『忠南論山發展史』, 청운당인쇄부, 1924 ; 곽호제, 「조선후기~일제강점기 내포지역 장시의 형성과 변화」, 충남대 내포지역연구단, 『근대이행기 지역엘리트 연구 : 충남 내포지역의 사례』 Ⅱ, 경인문화사, 2006, 276~283쪽.
75) 『경향신문』 1907년 7월 5일 「국채보상의금」.

를 통한 자기 변화를 모색한 점에서 주목되는 부분이다. 을사늑약 이후 불교계의 근대교육에 대한 참여는 이러한 분위기 속에서 진행되었다.[76]

셋째로 상인층의 경쟁적인 모금활동이 두드러졌다. 충남지역 8읍 보부상 수천 명은 각기 의연금을 각출하는 등 이에 부응하고 나섰다.[77] 대표자는 직접 상경하여 중앙 국채보상소에 모금한 금액을 내놓았다. 천안장시 상인층 역시 능력에 따른 의무금을 배려하는 등 호응하는 분위기였다. 서천군 상무사, 공주 유성상민계, 온양시장 상인들도 이러한 방식을 이용하였다.[78] 이러한 모금방식은 대부분 농촌지역에서 별다른 거부감 없이 그대로 통용되었다. 도내 각 장시일은 의연금을 모금하는 현장이나 다름없었다. 한산·비인·서천 3개 군이 연합한 국채보상기성의무사 발기인 중 상무사 두령 안백삼·김문보 동참은 이를 반증한다.[79] 더욱이 중국인 상인 등도 동참하는

76) 남도영, 「근대불교의 교육활동」, 『한국근대종교사상사』, 숭산박길진박사고희기념사업회, 1984 ; 김순석, 「통감부 시기 불교계의 명진학교 설립과 운용」, 『한국독립운동사연구』 21, 한국독립운동사연구소, 2003, 143쪽 ; 김순석, 「우리나라 근대 불교교육의 산실, 명진학교」, 『백년 동안 한국불교에 어떤 일이 있었을까?』, 운주사, 2009.

77) 『大韓每日申報』 1907년 3월 28일 잡보 「褓商捐義」 ; 도면회·사문경, 『『대한매일신보』로 보는 한말 대전·충청남도』, 144쪽.

78) 『황성신문』 1907년 4월 4일, 4월 10일 광고, 4월 20일 광고, 4월 26일 광고, 4월 29일 광고 「忠南公州債城商民契中」, 5월 15일 광고, 5월 18일 광고, 8월 20~21일 광고 ; 『만세보』 1907년 3월 8일 「溫陽商民國債義捐」, 3월 8~9일 광고 「忠淸南道 溫陽邑市場商民等國債報償義務金 發起人」, 4월 4~5일 광고 「忠淸南道公州郡芙江市商民」 ; 대동월보사, 「부록, 溫陽邑市場商人」, 『대동보』 2, 50쪽.

79) 『황성신문』 1907년 4월 20일 잡보 「三郡發義」.

등 부분적이나마 '국제적인 연대' 가능성도 보여준다. 일제의 경제적인 침략 강화는 상호 간 '공동운명체'라는 인식을 공감하는 가운데 이루어졌다.

넷째로 문중 조직에 의한 자발적인 참여였다. 족적 기반에 근거한 강한 유대감은 경쟁적인 모금을 이끌어내는 요인 중 하나였다.[80] 이른바 '문중학교' 설립도 이와 같은 원리에 의해 이루어졌다.[81] 향촌공동체의 운영 원리에 입각한 이러한 방식은 동리 단위로 자발적·경쟁적인 동참을 유도할 수 있었다. 생활 정도에 따른 의연금에 대한 차등징수는 사회적인 호응과 분위기를 조성하는 밑거름이었다.

다섯째로 지방관리의 적극적인 지원과 후원이 있었다. 군수·군주사·재무주사·경무서주사·군인 등 다양한 계층은 자발적인 참여를 마다하지 않았다. 주민들은 이러한 활동에 자극을 받아 향촌공동체의 공유재산을 의연하는 데 인색하지 않았다. 경쟁적인 의연금 모금활동도 이와 같은 분위기 속에서 가능할 수 있었다. 물론 일부 지방관은 이를 구실로 토색질을 일삼는 등 문제점을 드러내기도 했다.[82] 이는 극히 일부에 한정된 문제였다.

마지막으로 여성단체 조직에 의한 모금활동이 없었다. 물론 공주나 논산 등지 교회를 중심으로 전개된 모금은 사경회·성경반이라는

---

80) 『大韓每日申報』1907년 5월 8일 잡보 「尹門出捐」.

81) 『황성신문』1907년 3월 8일 광고 「舒川外東山北 全州李氏宗中」, 5월 22일 잡보 「金氏宗中義擧」, 8월 21일 광고 「天安郡 郡南貢士洞 昌原俞氏宗中」;『大韓每日申報』1907년 5월 8일 잡보 「尹門出捐」.

82) 『大韓每日申報』1906년 11월 1일 잡보 「統府申飭」·「一進益熾」·「藉校挾雜」.

단체에 의하여 이루어졌다.[83] 여성 개인별 의연도 적지 않았다. 태안
군의 경우 상당수 여성이 참여하는 상황이었다. 아산군 백암 거주 양
소사도 제국신문사로 국채보상운동 참여에 대한 당위성을 강조한 편
지와 의연금 6환을 직접 보냈다. 그녀는 대한국민의 한 구성원으로서
당연한 행위임을 강조했다.[84] 그런데 의연금 모집을 위한 여성단체
는 전무한 실정이었다. 영남의 대구·부산·진주·동래 등지는 여성
단체에 의하여 추진되는 등 전국적인 관심사로 부각되었다.[85] 이는
보수적인 성향이 강한 지역적인 특성과 무관하지 않았다. 즉 여성단
체 조직에 의한 계몽활동은 3·1운동 이후에 이르러 이루어질 수 있
었다.

이처럼 충남지방 국채보상금 모금활동은 다른 지방과 마찬가지로
전주민의 참여 속에서 이루어졌다. 모금된 액수는 다른 지방에 비하여
결코 적지 않았다. 인구수나 경제적인 여건 등을 감안할 때, 이곳은 오
히려 더 활발한 양상이었다.[86] 주민들 인식변화와 각성은 이를 가능하

---

[83] 『대한매일신보』1907년 7월 31일 광고 「忠南公州郡耶蘇敎堂」; 『大韓每日申報』
1907년 4월 6일 광고 「恩津論山耶蘇敎會」.

[84] 대동월보사, 「閨中義捐」, 『대동보』초회, 1907, 24~25쪽 ; 『大韓每日申報』1907년
2월 26일 잡보 「夫人愛國」, 7월 6일 광고 「婦人等」.

[85] 『大韓每日申報』1907년 3월 8일 잡보 「경고아 부인동포라」, 3월 20일 잡보 「芙蓉
吐香」, 3월 27일 잡보 「진주부웅형전수례서」, 3월 28일 「청평논가」, 4월 19일
잡보 「부산향좌천리부인회감션의연취지서」, 4월 24일 잡보 「花間放筆」; 『황성
신문』1907년 3월 19일 잡보 「鶯聲吋鴉」, 4월 3일 광고, 5월 22일 잡보 「경남부인
회열심」, 5월 22일 광고 「진쥬군부인회」, 6월 22일 광고 「부산영도국칙보상부인
회」; 『대한매일신보』1907년 8월 15일 광고 「대구부인회」; 박용옥, 「국채보상을
위한 여성단체의 조직과 활동」, 『한국근대여성운동사연구』, 한국정신문화연구
원, 1984.

게 만드는 요인이었다. 참여를 통한 현실인식 심화는 미약하나마 일제
의 침략적인 본질에 대한 간파와 아울러 이를 타파하는 현실적인 대안
책을 마련하는 계기였다.

4. 민족운동사상 위치

동학 전래와 농민운동 참여, 기독교 유입과 경부선 부설, 일제침략
강화에 따른 위기의식 등은 현실인식 심화와 더불어 사회변동을 촉진
시켰다. 갑오농민전쟁은 모순된 현실과 기득권 유지에 급급한 지배층
실상을 부분적이나마 직접 확인하는 현장이었다.[87] 최대 격전장인 공
주 우금치전투를 비롯하여 세성산전투·홍주성전투 등지에서 발휘한
충남인의 저항적인 활동은 이를 반증한다. 대한제국기 끊임없이 전개
된 농민운동은 이러한 역사적인 연원에서 비롯되었다. 자아 각성은 사
회구성원으로서 책무를 절감하는 동시에 반일의식을 고취시키는 계기
였다.

1900년을 전후하여 공주·서산·해미·논산·당진 등지를 중심으로
전래된 기독교는 일상사의 변화와 더불어 가치관을 크게 변모시켰

---

86) 이에 대한 구체적인 비교는 도단위에 대한 구체적인 사례가 규명될 때 가능한
부분이다. 다만 국채보상운동이 활발하게 전개된 영남·호남·경기지방 등의
사례는 이와 관련하여 시사하는 바가 크다.

87) 배항섭, 「충청지역 동학농민군의 동향과 동학교단」, 『백제문화』 23, 공주대 백제
문화연구소, 1994 ; 양진석, 「1894년 충청도지역의 농민전쟁」, 『1894년 농민전쟁
연구』 4, 역사비평사, 1995.

다.[88] 선교사업 일환으로 추진된 주일학교·매일학교 등을 비롯한 근대교육은 문맹퇴치뿐만 아니라 특히 여성들 의식을 크게 일깨웠다. 그런데 높은 문맹률은 선교사업 추진에 가장 커다란 걸림돌이었다.[89] 성경의 한글 번역과 보급에 치중한 이유도 바로 여기에 있었다. 당시 여성들 사회활동을 보장하는 유일한 '합법적인' 공간은 사실상 교회였다. '절대자 앞에서 평등'도 선교사업 진전에 따라 점차 '이상'이 아니라 '현실'로서 성큼 다가왔다. 이는 강고한 인습으로 잔존하던 신분제 타파와 여성에 대한 사회적인 인식을 변화시켰다.[90]

　천안은 일찍부터 교통요충지로서 널리 알려진 곳이다.[91] 우리에게 친숙하게 다가오는 '천안삼거리' 이미지는 이를 반증한다. 경부선 부설로 대전·평택·천안·신탄진·조치원 등은 중요 교통·상업도시로서 발전하였다.[92] 물화 집산과 편리한 유통망은 새로운 場市 개설과 이전으로 이어지는 등 기존 商圈에 대한 재편을 초래했다. 철도 주변은 새로운 도회지로서 부각되는 동시에 변화된 상황을 집약한 생활공간이었다. 崔南善의 「경부철도가」는 이러한 변화를 직접적으로 표현한

---

88) 김경수, 「한말·일제하 홍성지방의 감리교 수용과 지역엘리트」, 충남대 내포지역연구단, 『근대이행기 지역엘리트 연구 : 충남 내포지역의 사례』 Ⅱ, 93~110쪽.

89) 홍석창 편저, 『천안·공주지방 교회사 자료집 1902~1930』, 에이맨, 1993, 27쪽 ; 『大韓每日申報』 1907년 7월 10일 잡보 「敎會擴張」.

90) 김형목, 「한말 수원지역 계몽운동과 운영주체」, 『한국민족운동사연구』 53, 9쪽.

91) 개벽사, 「엄벙이 충청남도를 보고」, 『개벽』 46, 1924, 114쪽.

92) 이필영, 「천안 역세권의 민속」, 『고고와 민속』 창간호, 한남대박물관, 1998 ; 김한식, 『민촌 이기영의 문학과 '고향' 천안』, 아단재단, 2008, 11~12쪽.
천안의 급속한 변모는 이기영의 소설 「고향」과 「신개지」 등을 통하여 엿볼 수 있다. 이곳은 식민지 한국을 대변하는 축소판이라 해도 과언이 아니었다. 대전·평택 등지도 이러한 변화에서 크게 벗어나지 않았다.

산물 중 하나였다.[93]

사회변동에 따른 상권 변화는 인구 이동으로 귀결되었다. 상점·공장 등은 새로운 교통요충지를 중심으로 조성되기에 이르렀다. 일제 침략강화와 더불어 일본인의 한국으로 유입은 급속하게 증가되는 분위기였다.[94] 개항장인 부산·인천은 20세기에 들어와 전체 주민의 절반 이상을 차지하였다. 도내 곳곳에 형성된 일본인 거류지도 이와 맞물려 확산을 거듭하는 상황이었다.[95] 이들은 상권 장악과 아울러 고리대 등을 통한 '불법적인' 토지 매입을 서슴지 않았다. 궁극적인 목적은 토지 확보를 통한 일본인의 대량적인 이주였다.[96] 국채보상운동이 전개되던 1907년 12월 현재 도내 토지 점유는 적지 않았다. 회덕군은 전 2,804두락·답 1,070두락·산판 405,300평에 달하였다. 공주군은 전 10두락·답 640두락·기지 13,000평 등이었다.[97] 물론 다른 지역도 정도의 차이만 있을 뿐이지 곳곳에 일본인이 거주하고 있었다.

일본인 이주자 급증에 따른 토지점탈 행위는 곳곳에서 수단·방법을 가리지 않고 자행되었다. '米綿交換體制'는 투자처로서 토지에 대한

---

93) 최남선, 「京釜鐵道歌」, 육당최남선전서편찬위원회 편, 『육당 최남선전집』 5, 현암사, 1973, 347쪽.

94) 김형목, 「멕시코 이민 전후 한국의 정치·사회 상황」, 『아시아 아메리카 연구』 5-1, 단국대 아시아 아메리카연구소, 2005, 25~26쪽.

95) 坂上富藏, 『最近の江景事情』, 일한인쇄주식회사, 1911, 108쪽.

96) 『大韓每日申報』 1907년 1월 9일 잡보 「全土歸日」, 3월 9일 잡보 「閔庄賣日」, 4월 3일 잡보 「紙上波瀾」, 9월 18일 잡보 「秋燈零語」, 1908년 10월 7일 잡보 「合德民의 質問」.

97) 『황성신문』 1908년 1월 25일 잡보 「調査外費」; 『大韓每日申報』 1908년 1월 25일 잡보 「日人土地調査」; 대동월보사, 「잡보, 外賣調査」, 『대동보』 6, 1907, 43~44쪽.

일본인의 높은 관심을 확산시켰다. 특히 통감부에 의한 '합법'을 가장한 토지 침탈은 극에 달하였다. 식민당국자는 철도나 군사 용지 등을 핑계로 엄청난 부지를 확보하는 데 골몰하고 있었다.[98] 이는 일본이주자에게 값싼 가격으로 불하하는 등 일본인을 한국으로 이주시키기 위한 유인책이었다.

논산에 거주한 일본인은 1899년 2명이 이주한 이래 1905년 17명, 1906년 33명, 1907년 54명, 1908년 98명, 1909년 112명, 1911년 345명, 1912년 505명 등으로 급증하는 추세였다.[99] 직산군도 조선후기 금광 개발과 더불어 일본인 유입을 초래하였다. 이들은 저임금과 모욕적인 언사를 일삼는 등 주민과 갈등을 심화시켰다.[100] 갈등은 양국 광부 사이 집단적인 싸움으로 비화되기 다반사였다. 또한 신시가 건설을 위한 「토지가옥부동산법」 시행도 일본인에 대한 반감을 확산시키는 요인이었다. 일본인 거류지를 위한 도로·교량 건설 등은 한국인에 대한 '강제적인' 부역 동원으로 이어졌다.[101] 이러한 추세

---

98) 『大韓每日申報』 1907년 9월 4일 광고.

99) 富村六郞, 『忠南論山發展史』, 12쪽 ; 『大韓每日申報』 1907년 7월 13일 잡보 「連郡日戶」.

100) 『各司謄錄』 1900년 3월 26일 「충남 직산에서 채광 일본인과 한국 광부간의 싸움」, 8월 3일 「충남 직산에서 불법 채광하는 일본인 50여 명의 철환 요청」, 1905년 3월 27일 「일본인의 천안군 개광문제에 대한 답변을 요청하는 조회」 ; 『大韓每日申報』 1907년 5월 11일 잡보 「民訴礦弊」.

101) 『各司謄錄』 1907년 2월 10일 「토지가옥증명규칙실시 조사를 위하여 川崎萬邊과 유진혁을 보호하고 조사상 편의를 봐주었음을 보고」, 1906년 4월 7일 「일본인이 온양의 도로 및 교량 수축에 민력을 동원하여 폐단이 많은 것에 대한 보고」, 5월 22일 「온양군수가 교량 수축문제로 의정부에 올린 보고서와 지령」 ; 『大韓每日申報』 1907년 3월 3일 잡보 「書記見習」.

는 교통·상업도시 대부분에서 일반화된 현상이라고 해도 과언이 아니었다.

일제의 침략 강화는 배일의식을 새삼 일깨우는 계기였다.[102] 특히 상권을 둘러싼 경제적 불평등은 일상사에서 크게 드러났다. 일본인 상인이나 자본가들은 식민당국자의 지원하에 불법적인 행위를 일삼았다. 권력 비호와 거대 자본으로 무장한 이들과 경쟁은 애초부터 상대하기에 너무나 거대한 '괴물' 같은 존재였다. 도내 각지에 설립된 금융기관·기업 등의 규모는 이러한 사실을 반증한다.[103] 상인층의 적극적인 의연금 동참은 이와 맞물려 진전을 거듭하기에 이르렀다.

충남인들은 자발적·경쟁적인 의연활동을 통하여 변화하는 현실을 절감하였다. 동시에 사회구성원으로서 최소한 '책무'를 인식하는 요인 중 하나로 작용했다. 자아각성은 사회운동 참여로 이어지는 등 변화하는 상황에 역동적인 대응책 모색으로 귀결되었다.[104] 특히 여성이나 노파·야장 등은 자신의 존재성을 재발견하는 중요한 계기였다. 타율적·소극적인 참여가 아닌 변화에 부응하는 새로운 가치관을 정립·견

---

102) 『大韓每日申報』 1907년 3월 6일 잡보 「日商致斃」, 5월 2일 잡보 「秋水劍歌」, 9월 24일 잡보 「地方消息」, 9월 25일 잡보 「地方情形」 ; 이한구, 『일제하 한국기업설립운동사』, 청사, 1989의 제3장 참조.

103) 『大韓每日申報』 1907년 1월 9일 잡보 「藉銀騙財」, 1월 31일 광고, 3월 2일 광고 「開店廣告」, 8월 10일 광고 「漢城共同倉庫株式會社」, 12월 21일 잡보 「雪窓茶話」, 1908년 5월 27일 광고 ; 서은영, 「대한제국시기 민영회사의 설립과 그 성격」, 경희대석사학위논문, 1995.

104) 『大韓每日申報』 1907년 4월 9일 잡보 「溫郡義金」, 4월 12일 잡보 「出義可尙」, 4월 24일 잡보 「特異義捐」, 4월 26일 잡보 「邊氏急難」, 1908년 7월 5일 잡보 「興校復起」.

지하는 차원에서 이루어졌다.[105] 이는 경제운동을 넘어 새로운 사회질
서를 모색하는 방향으로 전개되었다. 잔존한 신분제 철폐와 약자에 대
한 인식 변화는 이러한 가운데 진전될 수 있었다.

한말 계몽운동 확산은 이와 같은 변화 속에서 이루어졌다. 도내 각
지에서 전개된 '공공성'에 입각한 사립학교설립운동이나 야학운동 진
전은 이를 반증한다.[106] 태안군 輔陽義塾 생도들은 일제히 단연을 결
행하는 등 사회문제에 대응하고 나섰다. 한산군 麒山學校가 운영난에
직면하자, 상인 등은 자발적으로 '시장세'를 징수하는 등 재정적인 기
반 확충에 열성적이었다.[107] 국채보상운동은 개인으로 하여금 사회적
인 역할과 현실인식을 확대 · 심화시키는 기반이었다. 당시 계몽운동
확산과 대대적인 참여는 이러한 역사적인 연원에서 가능 · 진전될 수
있었다.[108]

반면 주민들 열의와 달리 활동가들은 이를 제대로 견인하지 못하였
다. 일제 탄압이나 회유책에 효과적인 대안을 강구하기는커녕 사실상
속수무책이었다.[109] 이들은 모금된 의연금을 중앙수금소로 전달하는

---

105)『만세보』1907년 5월 25일「民志漸發」;『大韓每日申報』1907년 5월 25일 잡보
「木神齋身」, 7월 7일 잡보「趙氏憂國」.

106) 김형목,『대한제국기 야학운동』, 230~236쪽.

107)『大韓每日申報』1907년 5월 12일 잡보「泰郡義捐」, 7월 4일 잡보「저稅補校」,
7월 21일 잡보「金씨專力」, 8월 11일 잡보「洪明新校」, 9월 22일 광고, 9월
24일 잡보「沔守興學」, 12월 11일 잡보「懷郡設校」, 1908년 1월 23일 광고,
5월 17일 잡보「感荷義捐」.

108) 김형목,「한말 천안지역 근대교육운동의 성격」,『한국독립운동사연구』30,
107~108쪽.

109)『만세보』1907년 4월 11일「國債報償義捐一評」, 4월 13일「國債報償聯合近況」.

데에만 급급할 정도로 안주하고 있었다. 다른 지역에 비하여 역동적인 모금활동도 나타나지 않았다. 국채보상운동을 주도한 김광제 기고문은 당시 상황을 이해하는 데 의미를 부여할 수 있다.

至愚至劣 金光濟는 大聲疾呼ㅎ야 瀝血警告於湖西各郡縉紳章甫僉尊執下ㅎ나이다 僕亦以湖西生長으로 簪纓舊族이오 文字邊物이라. 憶在十數年前에 徒尙性命皮膚之說과 詞章脣舌之句ㅎ야 頓不知敎育之爲何事 世界之爲何物ㅎ고 如聞社會及敎育之議則斥之以一種怪異於吾道之外ㅎ고 視文明國人을 如仇讎矣러니 偶自壬寅之秋로 東西列邦有志紳士를 畧與交涉ㅎ야 求覽其史乘與敎科書籍ㅎ고 且究其政治及民權自由之原因則 僕之所前日愚見誤論이 非徒自誤身世라. 丁寧是文明界義務上一大難逭之罪人이니 泣之不得이오 悔莫及焉이라. 凡如是者 數年에 敢以社會上 聞見으로 所謂 思想也 精神也ㅣ 一層是新ㅎ야 乃憫國勢之岌嶪ㅎ고 恫民生之塗炭일시 思所以設校結社ㅎ야 培養我五百年元氣ㅎ고 喚惺我二千萬精神 而始於嶠南ㅎ야 曰校 曰社 曰會가 次第 成立而民智發達이 亦如沃膏之苗矣라. 自以爲將成大事業ㅎ고 今春 上京ㅎ야 廣探各道情形則 黃海以北과 豆江以南에 人多種靈ㅎ야 已爲我韓文明前導 而或爲遊學而喫盡風霜於歐西我東ㅎ고 或爲設會而馳騁氣槪於報舘演壇ㅎ야 乃至 有女子校夫人會之擴張이어늘. 嗚呼 我湖西一帶는 不風不波ㅎ야 舟中甘夢이 渾不覺日落月出ㅎ고 如在武陵洞天而永享泰平이나 烏可得乎아. 當此優勝劣敗之競爭時代ㅎ야 不知變通而固守舊謬ㅎ고 尙以虛文浮藻로 自處文學ㅎ니 冠婚喪祭之禮는 雖不可無者나 自少至老히 反復討論於此者ㅣ 果能有助於國計民事之艱嶮歟. 曰詩 曰賦와 吟風咏月이

抑或 有益於殖産興業之要素歟아 試覽之호라. 虛文이 滅質에 周
室이 衰微호고 淸談이 成俗에 晉祚가 隨移호니 其非戒懼處耶아
學者는 業之母오 業者는 民之源이라 호니 非學이면 業無徒興이
오. 非業이면 民無從活者則學於業에 其關鍵이 倘何如哉아. 所以
로 指無實學實業者曰 失業人이니 人失其業이면 言論이 蕩誕호
고 心志無定호야 致多妄擧妄動 而自辱身家호고 禍及鄕邦호나니
戒之哉어다. 敎有三級호니 人幼則家庭敎育也오 少則學校敎育也
오 壯則社會敎育也라. 然則 無學校敎育者는 不可以學問人으로
自處며 無社會敎育者는 不可與論於民國之事矣라. 故 各道僉彦
과 婦女兒童이 莫不熱心於此 而以我湖西士大夫冀北之稱으로 腐
敗萎靡가 何若是甚也오 有關於盛衰而然歟아 固僻哉라. 湖西人士
여 憤惜哉라 湖西同胞여.110)

이는 충청지역 근대교육 부진을 개탄하는 의미이다. 생존경쟁시대
를 주도하는 서구열강은 이미 여성교육을 통하여 문명국가로 발전을
거듭하고 있다. 역사서나 교과서적 간행과 광범위한 보급은 정치나 민
권의식을 고취하는 근원임에 틀림없다. 그럼에도 우리는 이러한 문제
를 제대로 인식하지 못한 채 안주하고만 있을 뿐이다. 이는 國勢를 위
기에 몰아넣어 민생을 도탄에 빠지게 하는 요인으로 작용하고 말았다.
영남지방에서 학교와 단체를 만들어 오백년 원기를 북돋우기 위하여
노력한 결과 상당한 성과를 거두었다. 금년(1907년 – 필자주) 봄에 황
해도 이북부터 두만강 이남 지역을 시찰하니 여학교도 설립·운영하는
등 시세변화에 부응하고 있었다. 하지만 호서지방은 아직 미몽에서 벗

110) 『황성신문』 1907년 9월 16일 잡보 「再告湖西同胞 石藍生」.

어나지 못한 채 안주하고 있으니, 안타까운 심정을 금할 길이 없다. 유지신사는 분발할지어다. 국채보상운동이 부진한 이유도 여기에서 원인을 찾을 수 있다는 입장이었다.

1907년 6월 서산군 상황은 이와 관련하여 시사하는 바가 크다. 엄정한 모금액 관리와 나태한 임원진 태도에 비판은 이러한 분위기를 초래하는 원인으로 지적하였다.

> 南來人에 傳說을 聞國호즉 瑞山郡 人士가 國債報償의 對호야 今
> 二月에 葉 일萬오千餘兩을 收合호야 京社로 上送홀터인대 總代
> 壹人을 定하야 該金을 出給하엿더니 貿物上京호야 放賣全納호
> 고 新聞에 廣告혼다더니 該郡人民이 日考廣告호되 已過삼ᄉ朔
> 에 尙未揭지호믹 方지璨鬱中오 姑未收合혼 七拾餘洞은 方在觀
> 望中이라더라.[111]

투명한 의연금 관리와 모집을 위한 방안 부재는 당시 상황을 극명하게 보여준다.[112] 의연자에 대한 명단과 금액이 신문에 게재되면서 불신감은 어느 정도 완화되었다. 상호 신뢰감은 이를 추동시키는 '절대적

---

111) 『大韓每日申報』 1907년 6월 26일 잡보 「緣何遲滯」.

112) 『대한민보』 1909년 10월 15일 잡보 「債報金總會」, 1910년 1월 21일 잡보 「處理會請願」, 1월 26~27일 잡보 「國債處理意見」.
각 지역별로 조직된 국채보상소와 중앙에 조직된 의연금수합소는 유기적인 관계 속에서 모금활동이 모색되지 않았다. 이는 일제의 분열 책동에 효과적인 대응책 부재로 귀결될 수밖에 없었다. 일제에 의한 조작된 '공금횡령사건'은 일시에 분위기를 반전시킴으로 지리멸렬하는 결과를 초래하고 말았다. 하지만 당대인은 참여 과정에서 현실모순을 부분적이나마 인식하는 동시에 이를 해결하기 위한 대안을 스스로 모색하였다.

인' 요인이나 다름없었다.113) 이는 결코 충남지역에 한정된 문제로만 그치지 않았다.

한편 광무황제 강제 퇴위와 군대해산에 따른 점증되는 사회적인 불안감은 추진력을 반감시키지 않을 수 없었다. 일제의 의병 진압을 구실로 자행된 불법적인 만행은 이를 반증한다.114) 이는 국채보상운동을 퇴조시키는 요인 중 하나였다. 1907년 8월 이후 급격하게 부진한 모금활동은 당시 상황을 이해하는 데 주요한 기제 중 하나임에 틀림없다.

5. 맺음말

1907년 2월 대구에서 시작된 국채보상운동은 들불처럼 순식간에 전국적으로 파급되었다. 도·군 단위로 조직된 국채보상소는 「취지서」를 발표하는 등 조직적인 모금활동에 돌입하였다. 당시 신문은 각지에서 전개되는 양상을 신속하게 보도함으로써 경쟁심을 유발시켰다. 모범적인 사례에 대한 지속적인 보도는 널리 회자되는 등 전국적인 이슈로서 부각되었다. 특히 『대동보』·『야뢰』 등은 이를 홍보하기 위한 잡지였다.115) 충남도 이러한 분위기와 결코 무관하지 않았다. 김광제가

---

113) 『大韓每日申報』1907년 7월 7일 잡보 「趙氏憂國」.
114) 『大韓每日申報』1907년 12월 20일 「지방소식」, 12월 21일 잡보 「嫌於符一」·「行路阻絶」.
115) 대동월보사에서 간행한 『대동보』는 국채보상운동과 관련된 새로운 기사를 보도하지 않았다. 대부분은 기존 신문이나 잡지 등에 보도된 내용 중 중요한 부분을 정리하였다. 여기에 수록된 내용은 당시 주요한 '기사'로서 보아도 타당하다.

충남 보령 출신이라는 사실도 이와 같은 상황을 조성하는 한 요인으로 작용했다.

충남지방은 3월 초부터 본격적으로 의연금 모금을 추진하였다. 도내 주민 중 최초로 의연한 사람은 아산에 거주 양소사였다. 그녀는 이씨 문중으로 시집 와서 이곳에서 생활하고 있었다. 이는 충청인의 자긍심을 일깨우는 주요한 계기였다. 충청도 54개 군 유지신사는 「국채보상의조권고문」을 발표하기에 이르렀다. 이들은 국채를 독립국가 유지를 위한 최소한 요건이자 반드시 갚아야할 '의무'로서 규정하였다. 자발적 · 조직적인 의연활동은 이와 맞물려 급속하게 확산 · 파급되었다.

관내에 조직된 국채보상소는 호중국채보상의조회 · 국채보상기성회 · 국채보상수합소 · 호서협성회 등 20개소였다. 명칭은 단연동맹회 · 의연금모집소 · 일심동맹회 · 대전의성사 · 국채보상의동회 등 매우 다양하였다. 이 단체는 의연금 모금을 사실상 주도한 중심세력이나 마찬가지였다. 주요 인물은 군수 · 군주사 · 재무서원 등 전 · 현직 관리와 자산가 · 종교인 · 교사 · 학생 등 이른바 지방유지층이었다. 특히 군수 등 지방관은 전반적인 분위기를 주도하는 등 상당한 영향력을 발휘하였다. 공주군수 김갑순이나 직산군수 곽찬 등은 대표적인 인물이었다.[116]

전개양상은 지역별 여건이나 특성을 반영하듯이 많은 편차를 드러내었다. 행정 · 상업도시나 교통요충지는 비교적 일찍부터 의연활동을 모색하였다. 이는 참여 인원 증가로 이어지는 등 분위기 확산에 일익을 담당했다. 대흥 · 공주 · 직산 등지는 약 2천 명이나 참여할 정도로

---

116) 『만세보』 1907년 5월 25일 잡보 「公郡義金」 ; 『매일신보』 1919년 2월 5일 「이빅
여호에 세찬」.

매우 적극적이고 활발하게 전개되었다. 반면 일부 지역은 일회성으로 그치는 경우도 있었다. 물론 모금액수와 참여 인원은 반드시 비례하지 않았다. 이는 현지 여건이나 지역적인 역량을 반영한다는 점에서 중요한 의미를 지닌다.

모금방식은 생활 정도에 따라 일정한 금액을 배렴·갹출하는 경우가 일반적이었다. 향촌공동체 운영에 입각한 이러한 방법은 동리 단위로 경쟁적인 참여를 유도하는 주요한 기제였다. 강한 족적 기반에 근거한 문중 조직도 의연금 모집에 적극적으로 활용되었다. 이른바 동족마을은 대부분 참여하는 등 사회적인 역할에 결코 소홀하지 않았다.

참여 계층은 도내 주민이 모두 참여할 정도로 매우 다양하였다. 아동·노동자·노파 등과 유생층 참여는 주민들로 하여금 자발적인 동참을 이끌어내는 요인 중 하나였다. 내포지역 8읍 상민과 천안·유성·공주 등지 상인층도 매우 적극적이었다. 이들은 일제의 경제적인 침략에 맞선 '최전선'을 지키는 마지막 보루나 마찬가지였다. 아동의 세뱃돈이나 노동자의 임금 의연 등은 모범적인 사례로서 칭송되는 가운데 종교계 참여는 교인들에게 신선한 자극제나 다름없었다. 공주 명화학교·연산 보명학교나 교회는 이와 같은 상황과 맞물려 동참하는 계기였다. 특히 공주의 갑사·동학사·사자암에 소속된 승려들은 경쟁적인 의연활동으로 이어 나갔다.

열화 같은 참여에도 국채보상운동은 8월 이후 침체기를 벗어나지 못하였다. 광무황제 퇴위와 군대해산에 따른 흉흉한 분위기, 일제의 언론에 대한 탄압, 운영 방향을 둘러싼 갈등 등은 주요한 요인이었다. 하지만 충청인은 이를 통하여 새로운 사회질서를 모색하는 계기를 맞았

다. 현실인식 심화와 자아각성 등은 스스로 '사회적인 책무'를 일깨웠
다. 사립학교설립운동이나 야학운동 등 '공공성'에 입각한 사회운동 참
여는 이러한 역사적인 연원에서 비롯되었다. 국채보상운동의 진정한
의미는 바로 여기에서 찾을 수 있다. 이는 실력양성론에 입각한 일제
강점기 문화계몽운동을 진전시키는 밑바탕이었다.

참고문헌

『황성신문』,『대한매일신보(한글판)』,『大韓每日申報(국한문혼용판)』,『제국신문』,
『만세보』,『경향신문』,『대한민보』.

『대한자강회월보』,『대한협회회보』,『야뢰』,『대동보』.

『각사등록』.

국사편찬위원회,『고종시대사』6, 탐구당, 1972.

대구광역시,『국채보상운동100년기념자료집』1~5, 국채보상운동기념사업회·흥
　　　　사단, 2007.

대동월보사,『대동보』초회~6, 1907.

석남김광제선생유고집발간위원회,『독립지사 김광제선생 유고집, 민족해방을 꿈
　　　　꾸던 선각자』·『증보판』, 대구상공회의소, 1997·2007.

富村六郞,『忠南論山發展史』, 청운당인쇄부, 1924.

田中市之助,『大田發展誌』, 대전실업협회, 1921.

坂上富藏,『最近の江景事情』, 일한인쇄주식회사, 1911.

국사편찬위원회,「국채보상운동」,『한국독립운동사』1, 탐구당, 1965.

김형목,『대한제국기 야학운동』, 경인문화사, 2005.

김형목,『김광제, 나랏빚 정산이 독립국가 건설이다』, 선인, 2012.

신용하 편,『일제경제침략과 국채보상운동』, 아세아문화사, 1994.

유영렬,『애국계몽운동 Ⅰ : 정치사회운동』, 한국독립운동사편찬위원회·독립기념
　　　　관 한국독립운동사연구소, 2007.

충남대 내포지역연구단,『근대이행기 지역엘리트 연구 : 충남 내포지역의 사례』
　　　　Ⅰ·Ⅱ, 경인문화사, 2006.

충청남도지편찬위원회,『충청남도지(근대편)』8, 2006.

황서규,『일본의 직산금광 탈취사』, 한국문화, 1998.

김상기,「애국계몽운동과 대전」,『대전100년사』1, 대전직할시, 2002.

김형목, 「한말 홍성지역 근대교육운동의 성격」, 『한국사의 탐구』, 남곡재최홍규교 수정년기념논총간행위원회, 2005.

김형목, 「김광제 · 서상돈 선생; 한국의 독립운동가」, 『통일로』 222, 안보문제연구 원, 2007.

김형목, 「한말 천안지역 근대교육운동의 성격」, 『한국독립운동사연구』 30, 한국독 립운동사연구소, 2008.

김형목, 「애국계몽운동」, 『충청남도지(근대편)』 8, 충청남도지편찬위원회, 2008.

김형목, 「한말 서산지역의 국권회복운동」, 『충청문화연구』 2, 충남대 충청문화연 구소, 2009.

독립운동사편찬위원회, 「국채보상운동」, 『독립운동사』 10, 1978.

박연실, 「김광제의 생애와 활동」, 충남대석사학위논문, 1999.

박용옥, 「국채보상운동의 발단배경과 여성참여」, 『한국민족운동사연구』 8, 한국민 족운동사연구회, 1993.

신용하, 「애국계몽운동에서 본 국채보상운동」, 『한국민족운동사연구』 8, 한국민족 운동사연구회, 1993.

이동언, 「김광제의 생애와 국권회복운동」, 『한국독립운동사연구』 12, 한국독립운 동사연구소, 1998.

이동언, 「대구에서 국채보상운동의 깃발을 세운 김광제」, 『대구의 문화인물』 1, 대구광역시, 2006.

이상근, 「국채보상운동에 관한 연구」, 『국사관논총』 18, 국사편찬위원회, 1990.

이송희, 「한말 국채보상운동에 관한 일연구」, 『이대사원』 15, 이화사학회, 1978.

조항래, 「국채보상운동」, 『한민족독립운동사』 1, 국사편찬위원회, 1987.

최 준, 「국채보상운동과 프레스 · 캠페인」, 『백산학보』 3, 백산학회, 1967.

제2장

충청북도의 국채보상운동

제2장

충청북도의 국채보상운동

1. 머리말

국채보상운동은 자립경제에 기초한 독립국가 수립을 도모한 국권회복운동 일환이었다. '극소수' 매판자본가나 친일세력을 제외한 한민족 구성원은 자발적인 동참을 마다하지 않았다. 국민운동으로 성격 규정은 이러한 역사적 배경과 전개양상에서 찾아볼 수 있다.[1] 사회적으로

[1] 김형목, 「충남지방 국채보상운동의 전개양상과 성격」, 『한국독립운동사연구』 35, 한국독립운동사연구소, 2010, 151쪽.
일진회장 송병준은 대한자강회사무소에서 개최된 국채보상연합총회에 참석하여 극력 반대함으로써 일대 풍파를 일으켰다(『대한매일신보』1907년 4월 4일 잡보 「宋乃反對」·「靑辨奇笑」 ; 정교, 『대한계년사』하, 국사편찬위원회, 1957, 224쪽). 반면 삼화항 일진회 지회원들은 국채보상회를 조직하는 등 의연금 모집에 적극적이었다. 이처럼 상당수 지회원은 문화계몽운동에 열성적으로 참가하였다. 일진회 지회에 대한 친일단체로서 '일방적인' 성격 규정은 재고를 요한다(『대한매일신보』1908년 1월 5일 광고 「밀양군 경내 止烟會旨書與 節目 전기 게재어니와 발기인 성명급 수연금 更錄如左」 ; 김종준, 『일진회의 문명화론과 친일활동』, 신구문화사, 2010 참조).

가장 천대를 받았던 白丁·冶匠·걸인·죄수·여승 등도 모금 대열에
참여하였다. 서울 원동에 사는 94세 노파와 70대 딸 등 의연 소식은
신선한 '청량제'였다.[2]

지금까지 국채보상운동은 상당한 연구 성과를 축적한 분야 중 하나
이다. 추진 배경, 선전활동과 언론 역할, 일제의 차관공세와 화폐개혁
에 따른 민족자본 몰락 과정, 상인층 동향, 실패 원인, 전체적인 전개양
상 등은 개괄적으로 밝혀졌다. 하지만 외형적인 성과와 달리 기초적인
부분마저도 제대로 규명되지 못하였다. 국채보상회 조직 현황, 취지서
내용 분석, 지역별 주도 계층과 현실인식·모금현황, 종교계 호응, 의
연금 사용처 등은 일부분만 밝혀졌을 뿐이다.[3] 이등박문을 비롯한 일
제 당국자 대응방식이나 일진회 특히 지회원 참여 동기 등에 관한 분
석은 거의 전무하다. 이등박문은 초기에 외형상으로 국채보상운동을
긍정적으로 평가하였다.[4] 물론 그의 내심은 전혀 다른 입장이었지만,

---

2) 『대한매일신보』 1907년 3월 8일 잡보 「老寡實心」, 4월 19일 잡보 「龍川府楊市商
會員이 國債報償에 義金募集文」; 『만세보』 1907년 3월 13일 잡보 「比丘出義」,
3월 14일 잡보 「乞人出義」, 4월 13일 광고.

3) 지역단위 의연금 모금을 주도한 국채보상회에 관한 전국적인 조직 현황조차도
아직까지 파악되지 않았다. 이를 주도한 인물에 대한 분석도 유사한 수준에 그치
고 있는 실정이다. 최근까지 연구 성과를 정리한 독립운동사에도 이러한 수준에
서 크게 벗어나지 못하였다(최기영, 「국채보상운동」, 『애국계몽운동 Ⅱ(문화운
동): 한국독립운동의 역사 13』, 한국독립운동사편찬위원회·한국독립운동사연
구소, 2009). 불교계나 개신교계에 대한 연구는 이러한 점에서 시사하는 바가
적지 않다(임혜봉, 「국채보상운동과 불교계」, 『일제하 불교계의 항일운동』,
민족사, 2001 ; 한규무, 「국채보상운동과 한국 개신교계」, 『숭실사학』 26, 숭실사
학회, 2011).

4) 『만세보』 1907년 3월 26일 잡보 「統監奏賀」, 4월 17일 잡보 「國債義捐反對」,
4월 30일 잡보 「統監宴待大官」.

일회성에 그치리라고 전망하였다고 생각된다.

충북 도내 지역별 사례 연구는 현재까지 극히 일부만이 언급되었다. 현재까지 간행된 시지나 군지 대부분은 국채보상운동에 대한 항목조차도 설정되지 않았다. 지역별 전개양상, 운동주체·특성 등은 전혀 밝히지 못하였다.[5] 일제강점기 물산장려운동·금주단연운동 등은 이를 계승·발전하는 가운데 전개되었다. 이러한 사실을 고려한다면 심각한 문제가 아닐 수 없다.

이 글은 충청북도 국채보상운동 전개양상과 지역운동사상 의의를 밝혀보고자 한다. 먼저 도내 주요 국채보상운동취지서 내용과 국채보상회 설립현황 등을 파악·분석하였다. 국채보상회는 호서국채보상기성의무사를 비롯하여 군 단위로 11개소 이상 조직되었다. 활동가들은 취지서를 통하여 자발적 참여를 유도하였다. 일부는 취지서를 교통요충지인 '시장통'에 게시하는 등 홍보·선전활동에 전력을 기울였다. 궁극적인 목적은 '나라빚 청산'을 통한 국권회복과 아울러 자주적인 독립국가 건설에 있었다.[6] '국채보상=국민의무'로서 인식과 분위기 고조는 주민들 참여를 유도하는 에너지원이었다.

5) 조항래, 「국채보상운동의 발단과 전개과정」, 『일제 경제침략과 국채보상운동』, 아세아문화사, 1994, 90~91쪽 ; 대구광역시, 『국채보상운동100년 : 화보편』1, 국채보상운동기념사업회·대구흥사단, 2007, 71쪽.
충북에 조직된 국채보상회는 보은·청주·옥천·영동·진천·제천 등 6개소로 파악하였다. 〈표 1〉에 나타난 바처럼, 실제는 이보다 2배 정도에 달한다. 사례 연구 필요성과 중요성은 여기에서 다시 한 번 강조되어야 한다.
6) 심의철, 「기서, 國債報償의 對ᄒᆞ야 敬告同胞」, 『대한매일신보』1907년 2월 28일 ; 김형목, 「나라빚은 망국임을 일깨운 선각자, 김광제·서상돈」, 『순국』242, 사단법인 대한민국선열유족회, 2011, 58~59쪽.

향촌공동체에 입각한 운영방식은 적극적인 참여로 이어졌다. 참여를 통한 사회적인 존재로서 각성은 이러한 가운데 인식되는 분위기였다. '사회적 책무'는 의연금 모금 대열로 동참 분위기를 확산시키는 기폭제나 다름없었다. 동리·문중·商務社·진위대 등을 중심으로 전개된 모금 양상은 이를 반증한다. 시세변화에 부응하려는 방안은 근대교육 보급으로 귀결되었다. 이는 고루한 인습이나 잔존한 신분제를 일상사에서 점차 해소시켜 나갔다.[7] 교류와 소통 확대는 다양한 이견을 통합·조정하는 능력을 배가시켰다.

경제적 예속화에 대한 우려는 경쟁적인 참여와 더불어 국채보상운동을 추진하는 원동력이었다. 항일의식은 일제 침략의 가속화와 더불어 증폭될 수밖에 없었다. 곡가 앙등과 의병전쟁 확산에 따른 사회적인 불안은 민중생존권을 크게 위협하였다. 국채 청산은 위기의식 고조와 동시에 교류·소통을 확대하는 근간이었다. 장날 개최된 가두연설회는 주민들 현실인식을 심화시키는 요인 중 하나였다. 경제운동 차원을 넘어 국채보상운동이 지닌 진정한 의미는 여기에서 찾을 수 있지 않을까 한다.

2. 국채보상운동취지서와 국채보상회 현황

일제는 러일전쟁 발발을 전후로 한국 식민지화에 더욱 박차를 가하였다. 경제적인 예속화를 획책하는 차관공세와 더불어 '施政改善'을 구

---

7) 김형목, 「대한제국기 화성지역 계몽운동의 성격」, 『동국사학』 45, 동국사학회, 2005, 75~76쪽.

실로 내정간섭도 강화했다.[8] 화폐개혁은 토착자본을 무력화시키는 동
시에 경제공황까지 유발하는 요인이었다. 물가앙등과 사회불안은 한
민족에 대한 생존권 위협으로 다가왔다. 통감부 설치 전후로 차관은
급속하게 증가하는 추세였다. 1907년 1월 현재 국채는 1,300여만 원에
달하였다.[9] 이는 대한제국정부 1년 예산에 버금가는 거액이었다.

국채보상운동은 1907년 1월 중순 대구광문사 특별회의 개최에서 시
작되었다. 참석한 대구광문회와 대구민의소 회원들은 즉석에서 의연
금을 거두는 한편 구체적인 실행 방안까지 논의했다.[10] 『대한매일신
보』·『황성신문』·『제국신문』·『만세보』와 『대한자강회월보』 등은 이
를 신속하게 보도하였다. 각지에서 전개되는 활동상황은 '미담사례'로
서 널리 알렸다. 3~7월 사이에 관련 기사는 전체 신문 지면의 2/3나
차지할 정도였다. 언론사의 적극적인 선전활동은 순식간에 국채보상
운동을 각지로 파급시킬 수 있었다.[11] 미주에서 발행되는 『공립신보』

---

8) 권태억, 「1904~1910년 일제의 한국 침략 구상과 '시정개선'」, 『한국사론』 31,
   서울대 국사학과, 1994 ; 강창석, 「통감부 설치기 정치주도세력의 대일자세에
   관한 연구」, 『국사관논총』 94, 국사편찬위원회, 2000.

9) 『대한매일신보』 1907년 3월 27일 논설 「痛哭告大한 實業家」 ; 오두환, 「한말
   차관문제의 전개과정」, 『한국민족운동사연구』 8, 한국민족운동사연구회, 1993,
   52~53쪽.

10) 『황성신문』 1907년 2월 22일 잡보 「廣會建議」 ; 『만세보』 1907년 3월 12일 잡보
    「警告同胞, 김광제」, 3월 26일 잡보 「文友會趣旨」, 3월 30일 잡보 「文友會演說」
    ; 이동언, 「김광제의 생애와 국권회복운동」, 『한국독립운동사연구』 12, 한국독립
    운동사연구소, 1998, 130~133쪽.

11) 이종준, 「잡록」, 『대한자강회월보』 9, 1907, 56~72쪽 ; 심의성, 「내지휘보」, 『대한자
    강회월보』 9, 71쪽 ; 『공립신보』 1907년 7월 5일 잡보 「대동보 신간」 ; 최준, 「국채
    보상운동과 프레스 캠페인」, 『백산학보』 3, 백산학회, 1967 ; 정진석, 「국채보상운
    동과 언론의 역할」, 『한국민족운동사연구』 8, 한국민족운동사연구회, 1993.

나 동경유학생 기관지 등은 국내 상황과 현지 분위기를 생생하게 전하였다.

이러한 가운데 국채보상회 조직은 새로운 관심사로 부각되었다. 서울의 국채보상기성회를 비롯하여 도·군·면 등 행정단위나 학교·회사·상인단체 등의 주도로 조직되는 분위기였다. 취지서 발표와 동시에 부녀자들에 의한 활동은 사회적인 반향을 초래하였다.[12] 이는 각계각층으로 파급되는 '기폭제이자 전주곡'이었다. 고조된 분위기는 특정한 지역에만 한정되지 않았다. 상호 간 조직적인 연대나 통일적인 계획안은 거의 없었다. 그럼에도 의연활동은 통감부 당국자의 상상을 초월하여 '들불처럼' 파급되었다.[13] 국채보상을 위한 활동은 사회적인 책무를 다하는 '의무'로서 인식될 만큼 대단한 파장을 불러 일으켰다. 충북인도 이러한 흐름에서 결코 예외적일 수 없었다. 國難을 타개하려는 비장한 각오는 적극적인 참여로 귀결되었다. 군중이 운집한 '장날 빅뉴스'는 단연 국채보상과 관련된 문제였다.[14] 각지에서 전개되는 양상은 구전을 통하여 즉각적으로 파급

---

12) 『만세보』 1907년 3월 12일 잡보 「早春樂事」, 3월 14일 잡보 「국치보상부인회취지서」, 3월 15일 잡보 「홍씨충의」, 3월 16일 잡보 「류씨충애」, 4월 9일 잡보 「晉州報償會 詳報」 ; 박용옥, 『한국근대여성운동사연구』, 한국정신문화연구원, 1984, 121~144쪽.

13) 『만세보』 1907년 2월 26일~3월 16일 「國債報償西道義成會趣旨書」, 3월 2일 잡보 「輿論紛紜」 ; 『황성신문』 1907년 3월 13일 논설 「警告觀察郡守」, 3월 28일 논설 「國債發起人及趣旨一束」.

14) 『대한매일신보』 1907년 5월 30일~6월 1일 잡보 『옥천군국채보상단연의무회 목적을 以ᄒᆞ야 市上에 연설홈』 ; 정승모, 「시장의 사회적 의미」, 『시장의 사회사』, 웅진출판, 1992.

되었다. 소식을 전하는 전령사는 바로 상인들이었다. 전국적으로 연
결된 場市網은 정보 전달·교류에 적극적으로 활용되는 계기를 맞았
다. 시장이 지닌 사회·문화적인 기능은 여기에서 어느 정도 엿볼
수 있다.

호서지방 54개 군에 거주하는 유지신사는 「國債報償義助勸告文」을
발표하는 등 새로운 계기를 제공했다. 충청도 전체를 망라한 권고문은
주민들 관심을 집중시킬 만한 내용을 담고 있었다.

> 夫有民然後에 有國ᄒ고 有國然後에 安民은 古今天下之不易之常
> 理也라. 今有民而不得保安이면 國從以弱ᄒ고 有國而不得富强이
> 면 民從以亡ᄒᄂ니 是故로 民之患難에 國必救恤ᄒ고 國之危急
> 에 民必扞衛가 是謂國而國民而民者也라. …(중략)… 惟幸大邱에
> 刱之烟之會ᄒ고 京城에 設期成之會ᄒ니 此卽我同胞之第一義務
> 也오 結果之日에ᄂ 卽我同胞之第一幸福也라. 本人等이 오抃雀
> 躍에 不勝欣喜而顧念我湖中이 亦不可自後於他省故로 玆庸敬告
> ᄒ오니 毋論男婦老幼ᄒ고 斷飮止煙에 隨力捐義ᄒ고 剋報國債에
> 重回國權則仙리長春이 復延於二十八世之寶錄ᄒ고 太和瑞氣가
> 更回於二千萬口之同胞矣리니 是爲國家之幸福 人民之幸福. …
> (하략)…15)

무릇 인민이 있은 후에 국가가 있고, 국가가 있은 연후에 인민이 안
락함은 고금 천하에 변하지 않는 당연한 이치이다. 오늘날 인민이 안

---

15) 『대한매일신보』1907년 3월 7일 잡보 「國債報償義助勸告文 湖中紳士等」; 대구
광역시, 『국채보상운동100 : 대한매일신보편』3, 2007, 82쪽.

락함과 보호를 받지 못하면 국가는 쇠약해지고, 국가가 부강하지 못하면 인민은 망할 수밖에 없다. 고로 인민에게 환란이 있으면 국가는 반드시 구휼하는 반면 국가가 위급하면 인민은 반드시 이를 막아 지켜야 한다. 여기에 국가와 백성이 각각 맡아야 하는 역할이 따로 있다. 다행히 대구에 단연회가 창설되고 서울에 기성회가 조직되었다. 이는 우리 동포의 '첫째 의무'요, 성과가 이루어지는 날은 우리 동포에게 제일 좋은 행복이라. 우리 湖中도 다른 지방에 결코 뒤질 수 없다고 생각하기에 이를 당당하게 널리 알린다. 남녀노소를 무론하고 금주단연하고 힘껏 의연하여 기필코 국채를 갚아 다시 국권을 회복하면 아름다운 우리 마을에 화창한 봄날이 자손만대의 복록으로 이어질 것임에 틀림없다. 태평스럽고 화목한 瑞氣가 2천만 동포에 회생할 것이니, 이는 국가와 인민의 행복이다. 금액 다소에 구애됨이 없이 남녀노소는 모두 의연에 동참하자고 주창했다. 이는 국민의 의무로서 국채보상에 동참을 강조하는 분위기로 이어졌다. '有國'이나 '有民' 등 강조는 국가의식이나 민족의식을 일깨우는 유효한 방안 중 하나였다. 나아가 한 민족은 운명공동체라는 사실을 강조하는 등 주민들 참여를 독려하기에 이르렀다.

권고문 발표를 전후로 도내 유지들은 국채보상회 조직과 의연금 모집에 적극 나섰다. 이들은 국채보상을 인민으로서 반드시 지켜야할 '의무사항'임을 다시 강조하였다.[16] 국가가 위기에 처했을 때, 인민은 '국가를 보위할 의무'로서 국채를 인식하고 있었다. 신문은 이를 신속하게

---

16) 김형목, 「충남지방 국채보상운동의 전개양상과 성격」, 『한국독립운동사연구』 35, 157쪽.

보도함으로써 분위기를 확산·고조시켰다. 경쟁적인 참여는 이러한 인식과 정세 판단에 따라 이루어지는 계기였다.[17]

　도내 최초로 국채보상회를 조직한 곳은 옥천군이었다. 발기인은 鄭憙溶·金春根·李永甲·洪承昌 등 무려 21명에 달했다.[18] 이들은 3월 3일 「옥천군의무회취지서」를 발표하였다.

　　今我國家ㅣ 有外債一千三百萬圓之多ᄒᆞ니 今年未報ᄒᆞ고 來年未
　　報ᄒᆞ야 年年如是면 其利가 富倍其本ᄒᆞ리니 若此不己면 國家를
　　難保ᄒᆞ고 國家를 難保ᄒᆞ면 嗟我同胞가 將安所에 寄生命耶아. 每
　　一念至此에 이憂耿耿ᄒᆞ야 不覺雙淚之縱橫터니 何幸國債償之
　　論이 自嶺至京ᄒᆞ야 義聲一播에 莫不相應ᄒᆞ고 多少捐助를 如恐
　　人後ᄒᆞ니 此時가 何時오. 可以挽回我國權之日也요 再生我民命之
　　秋也니 凡我同胞ᄂᆞᆫ 孰不欣抃蹈舞리요. 鄙等도 熱心所激에 義不
　　敢緩ᄒᆞ야 敢設國債報償斷烟義務會於忠淸北道沃川郡ᄒᆞ압고 玆以
　　仰布ᄒᆞ오니 惟我同胞ᄂᆞᆫ 不失此時ᄒᆞ고 隨力捐助ᄒᆞ와 俾償外債則
　　國家幸甚 臣民幸甚.[19]

---

17) 일진회장 이용구, 「갑오경장 이후 각종 정부 시책에 대한 일진회장 이용구의 비판 8조목」, 『각사등록』, 1907년 5월 4일조.
18) 석람김광제선생유고집발간위원회, 『독립지사 김광제선생 유고집 민족해방을 꿈꾸던 선각자(증보판)』, 2007, 별첨-16쪽.
　발기인은 이들 외에 金存性·洪承老·金翊性·鄭陝溶·金在九·李圭淵·金圭선·姜敬熙·鄭泰佑·鄭源周·金容根·金興奎·鄭鎭溶·李鍾哲·鄭泰國·柳丙憲·梁斗煥 등이었다
19) 『대한매일신보』1907년 3월 8일 잡보 「충청북도옥천군국채보상단연의무회취지서, 정덕용 등」, 4월 4일 잡보 「국채보상단연의무회취지서, 발기인 이규연 정덕용 등」 ; 『황성신문』1907년 3월 9일 잡보 「충청북도옥천군국채보상단연의무회취지서」 ; 대구광역시, 『국채보상운동100년 : 대한매일신보 편』 3, 85쪽.

지금 우리나라는 1,300만 원에 달하는 많은 외채를 떠안고 있다. 올해 상환하지 못하고 내년에도 갚지 못해 해마다 이와 같이 반복되면 필연적으로 이자는 원금보다 많아질 수밖에 없다. 만약 이를 갚지 못하면 국가는 보존하기 어렵고 국가를 보존하지 못하면, 우리 동포는 장차 어디에 생명을 부지하리오. 생각이 여기까지 미치니 근심이 더욱 깊어져 절로 눈물이 흐른다. 다행히 국채보상론이 영남에서 시작하여 서울에 이르러 의로운 소식이 한 번 전파됨에 상응하지 않은 자가 없고, 다소 의연함을 뒤질세라 두렵기까지 하다. 지금이 어느 때인가. 우리가 국권을 가히 만회할 수 있는 날이오, 우리 국민 생명이 재생되는 때이다. 이들은 생존경쟁시대에 부응하는 한편 국권회복을 위한 방안으로 국채보상을 강조하였다.

발기인은 구체적인 계획을 제시하는 동시에 주민들 참여를 독려하는 데 노력했다. 주요 내용은 첫째로 본회 목적은 국채보상에 있다. 둘째로 보상 방법은 의연금을 모금한다. 셋째로 의연 금액은 능력에 따라 금액 다소에 전혀 구애받지 않는다. 넷째로 본회에 의연금을 출연한 성명과 금액은 신문에 공포한다. 마지막으로 임시사무소는 읍내 海昌號商店으로 정한다는 등이었다.[20] 이는 주민들의 적극적인 참여를 유인하기 위함이자 애국심을 촉발시키려는 의도였다. 항구적이 아니라 국채보상을 청산하는 그날까지만 모금기간을 설정한 사실은 이를 반증한다.

---

[20] 『만세보』1907년 3월 6일 잡보「國債報償斷烟忠淸北道沃川郡義務會趣旨書」, 4월 19일 잡보「沃郡義金」; 이종준, 「잡록, 국채보상단연충청북도 옥천군」, 『대한자강회월보』9, 1907, 67쪽 ; 대구상공회의소, 『국채보상운동사』, 1997, 136~137쪽.

영동군 鄭範錫·林東根·吳麟根·孫泰能 등 18명도 「국채보상회취지서」를 발표하는 등 의연금 모금에 적극적이었다.

> 大抵國이 富則民이 富ᄒ고 國이 貧則民이 貧은 古今自然之理也라. 現今我大韓國債가 至爲一千三百萬圓之巨款 而今年不報ᄒ고 明年又不報則 年年利子가 利上添利ᄒ야 全國疆土가 乃爲債主지 物이오 八域同胞가 未免債主之奴矣. 苟如是則 是國是民이 焉敢 生存於其間乎. 思至此境의 不覺泣血塞臆也. 凡我國民이 豈可泯黙例視哉아. 惟願각隨其力ᄒ야 多小義捐에 以輔國債萬一之報 幸甚幸甚.[21]

무릇 나라가 부강하면 국민이 부유하고, 나라가 빈곤하면 국민이 빈한함은 동서고금에 통용되는 지극히 당연한 이치이다. 지금 우리 대한제국 국채는 1,300만 원이라는 거금에 달하는 바, 금년에 갚지 않고 내년에도 상환하지 못하는 즉 매년 이자에 이자를 더하여 전국 강토는 마침내 채권국(일본—필자주)의 국토가 되어 삼천리 동포는 일본의 노예를 면할 수 없다. 정말로 이처럼 된다면 이 나라와 국민은 감히 생명을 부지할 수 있겠는가. 이처럼 국채는 독립국가 기반을 뒤흔드는 가장 큰 公敵임을 강조했다. '我國民'이라는 서술에 나타난 바처럼, 국민은 국가의식을 강조하려는 일환에서 사용된 개념이었다. 국민·민중 등 당시 성행한 용어는 이와 관련하여 의미하는 바가 적지 않다.[22]

---

[21] 『대한매일신보』 1907년 3월 23일 잡보 「忠淸北道永同郡國債報償會趣旨書」.

운영방침인 「應行節目列錄」도 제시하는 등 체계적인 모금활동 방안
을 강구했다. 특이한 사실은 "첫째로 각 면과 각 동리 남녀노소를 불문
하고 권유하여 의연금 모금에 힘쓰도록 각성시킨다. 둘째로 인민들을
권유하기 위하여 시장이나 길가 등지에서 발기인은 자주 연설회를 개
최한다. 셋째로 의연금액은 각자 능력에 따라 수금한다"는 등이었다.
이는 주민들을 說諭하여 의연금 대열에 동참시키려는 의지에서 비롯
되었다.[23] 자발적인 참여를 유도하는 가운데 주민들을 각성시키려는
의도도 있었다.

권봉수·박도양·조기환 등은 국채보상충북발기인회를 개최했다.
이러한 활동은 도내 활동가들을 자극·분발시키기에 충분하였다.[24]
이를 기점으로 도내 의연금 수합은 증가하는 한편 각처로 파급되는 효
과를 거두었다. 고위관료층의 소극적인 태도에 대한 비판도 제기되었
다. 유학 呂中龍은 대표적인 인물이었다.[25] 그는 고위관료층이 구락부
와 같은 친목단체를 만들어서 유흥에 탐닉하는 현실을 질책하였다. 실
제로 일부 관료나 재산가 등은 의연금 모집을 방해하거나 비협조적이
었다.[26]

---

22) 백동현, 「러일전쟁 전후 '민족' 용어의 등장과 민족인식 : 『황성신문』과 『대한매일
   신보』를 중심으로」, 『한국사학보』10, 고려사학회, 2001, 171~176쪽.

23) 『황성신문』1907년 3월 18일 잡보 「發義寄函」.

24) 『대한매일신보』1907년 3월 26일 잡보 「三씨發起」.

25) 유학 여중룡, 「국가의 위기 상황을 도외시하는 귀족과 관료들의 구락부 설치에
   대한 질책」, 『각사등록』, 1907년 4월 15일조 ; 『황성신문』1907년 4월 16일 잡보
   「政府長書」.

26) 『황성신문』1907년 3월 12일 잡보 「宴無好宴」, 3월 18일 잡보 「一言一棒」.

보은군 李吉善·李謹載·方胤赫·張斗煥 등도 「국채보상단연동맹
모집금취지서」를 발표하였다. 취지서 주요 내용은 다음과 같다.

> …(상략)… 有民有政府요 有政府有民則 政府가 不可不恤民이
> 요 民亦不可不知政府라. 近者에 나用외債가 之一千三百萬圓之
> 多ᄒ야 沓無報償之日ᄒ니 如此而치之則 不過幾年에 利倍於本
> ᄒ리니 然則 國不可以爲國이요 民何可以居生乎아. 所以先自교
> 南으로 金光濟 徐相敦 兩氏가 發起後에 八域이 同聲ᄒ야 각出
> 義金ᄒ야 惟恐後人ᄒ니 此時가 何時오. 可以挽回我國權之秋也
> 요 再生我生民之時也라. 惟我一鄕同胞도 自成一團ᄒ야 募集金
> 額ᄒ야 限二月晦內ᄒ고 鳩聚케ᄒ야 以담自己上國民義務케 ᄒ
> 심을 同盟홈.27)

백성이 있어야 정부가 있고 백성이 있으면 정부는 백성에게 (시혜
를-필자주) 베풀지 않을 수 없다. 백성 또한 정부를 알지 못하면 안
된다. 근래 차관한 외채가 1,300만 원에 이르러 보상할 방법이 없으니
이와 같이 되면 불과 몇 해 못가서 이자가 원금을 능가할 만큼 늘어만
갈 것인 즉, 나라를 나라라고 할 수 없고 또한 백성은 어떻게 살아갈
수 있으리오. 그러한 즉 먼저 영남에서 김광제·서상돈 양씨가 단연보
상을 발기한 후에 온 세상이 함께 따라 각기 의연금을 내며 남보다
뒤질세라 두려워하니, 이때가 어느 때인가. 가히 우리 국권을 만회할
때이오, 우리 백성이 재생하는 때라. 생각하건대 우리 고을 동포도

---

27) 『만세보』 1907년 4월 4일 잡보 「忠北報恩郡國債報償斷烟募集金趣旨書」.

단결하여 단연하는 일 뿐만 아니라 비록 밥을 굶는 한이 있더라도 모금하여 2개월 안에 구취하여 자기의 국민의무를 담임하시기를 동맹하자. 이처럼 국채는 국민으로서 반드시 갚아야 할 '의무'로서 강조되고 있었다.[28]

진천군 鄭樞澤·이한용 등도 취지서를 발표하였다. 이들은 치열한 생존경쟁시대에 國勢를 떨치기 위하여 이를 추진한다는 입장을 밝혔다.

> 嗚呼라 二千萬同胞여 當此競爭時代ᄒ야 國勢未振이라. 凡有思想者 莫不有漆室之憂也온 況又外國債款이 至爲一千三百萬圓之巨額ᄒ야 以若國庫金之歲入으로ᄂ 常患歲出之未允이어니 奚暇提及此債款之報償乎아. …(중략)… 셔 김 兩氏의 爲국義務와 위民鼓動이여. 僕等이 素以蔑劣지資로 雖不得矛弧지先登이나 其在奮發지義에 豈不欲驥尾지致遠이리오. 玆與同志諸人으로 踊起立會ᄒ고 勸勉一鄕ᄒ야 隨力出金ᄒ야 爲報국債千萬分지一ᄒ노니 凡我同胞ᄂ 倍勵精神ᄒ고 克盡義務ᄒ야 毋事因循ᄒ야 俾完始終케ᄒ면 豈徒債款지報償而已리오. …(하략)…[29]

이천만 동포여! 오늘날 생존경쟁시대를 당하여 국세는 너무 미진하다. 무릇 생각이 있는 자는 경제적인 부유함에도 근심이 있거늘, 하물

---

28) 『황성신문』 1907년 2월 25일 잡보 「國債報償期成會趣旨書」, 3월 2일 잡보 「國債報償布告文」, 3월 8일 잡보 「酒姬出義」.
29) 『대한매일신보』 1907년 5월 2일 잡보 「진천군국채보상회 취지서, 졍樞澤 리漢容 等」.

며 외채가 1,300만 원이라는 거액에 달하여 국가예산으로 갚기는 어려운 상황에 직면했다. 서상돈·김광제는 국가에 대한 의무와 인민을 분발시켰다. 비록 우리들은 어리석은 존재이나 분발해야 하는 마당에 어찌 수수방관만 할 수 있겠는가. 동지들과 더불어 하나 단체를 조직하고 군내 주민을 권유하여 각자 능력에 따라 의연금을 거두어 국채 천만분의 일이라도 보상하고자 한다. 취지서 발표는 주민들 관심사를 국채보상 문제에 집중시키는 직접적인 계기였다.

진천군 광혜원 부인들도 국채보상회를 조직한 후 본격적인 모금에 돌입하였다. 취지서는 현재까지 발견되지 않아 구체적인 내용은 알 수 없다. 당시 열성적인 활약상이나 분위기는 다음을 통하여 어느 정도 추측할 수 있다.

> 鎭川郡 廣惠院 有志婦人들이 今番 國債報償에 對ᄒ야 發起ᄒ기를 雖婦人이라도 此事件에 不可泯黙이라ᄒ야 國債報償會를 組織ᄒ고 義金을 募集ᄒᄂᄃᆡ 銀指環及 銀簪을 隨力補捐ᄒᄂ 婦人이 多有ᄒ다더라.[30]

국채보상운동에 유지부인은 사회적인 존재로서 최소한 역할을 자각하고 있었다. 도내는 물론 각지에 조직된 여성단체 활동은 이들을 자극시켰다. 부인회를 비롯하여 70여 명에 달하는 부인과 어린 자제들 의연금 동참은 관심을 받기에 충분한 '희소식'이었다.[31] 부인들 활동은

---

30) 『황성신문』 1907년 4월 29일 잡보 「婦人愛國盛」.
31) 『황성신문』 1907년 5월 24일 광고 ; 『대한매일신보』 1907년 7월 27일 광고.

기존 여성관에 많은 변화를 초래할 뿐만 아니라 지역명망가들에게 신
선한 충격파로서 다가왔다. 이전과는 비교할 수 없는 인식변화는 이러
한 상황과 맞물려 진행되었다. 여성에 대한 사회구성원으로서 인식은
현실문제에 대한 관심을 촉발시켰다.[32]

충주군국채의연소는 申洪均·洪明學·鄭雲弼·李珽來·趙銕九·朴
道陽·李健英·柳夏永 등 유지제씨에 의하여 조직되었다. 이들은 취지
서를 공포하는 등 조직적인 모금운동을 위한 준비를 진행하였다. 취지
서 주요 내용은 다음과 같다.

> 夫民依於國ᄒ고 國依於民이니 國民之所維持者ᄂ 以其有義務也
> 라. 惟我大韓이 地方이 三千里요 人口가 二千萬이나 以其歲入으
> 로 較其歲出則 每患不贍ᄒ야 至有外債 一千三百萬圓之多호딕
> 現自國庫로 報償無策ᄒ야 上有 君父之憂ᄒ시고 下切臣民之歎터
> 니 何幸自達城廣文社로 刱論報債ᄒ야 八域同聲에 民心感發이
> 라. 雖輿臺丐乞之微라도 鼓發誠意ᄒ야 捐其勞働金 求乞額ᄒ야
> 各申報에 式日揭載ᄒ니 孰不擊案 欽嘆哉. 皆知有國民之義務故
> 也라. 卑等도 亦以五百年 聖化涵養之物로 粂在二千萬 民族部分
> 之內ᄒ야 當此全國鼓動之日에 豈無血心感發之義哉. 以其報債的
> 愛國誠으로 不拘金額多少ᄒ고 各自先出義捐ᄒ야 以報其萬一 故
> 로 敢此警告ᄒ오니 嗚呼 同胞여.[33]

---

32) 『황성신문』 1907년 3월 15일 잡보 「兩夫人愛國誠」, 3월 16일 잡보 「渾家義捐」,
   3월 27일 잡보 「賢哉婦人」, 3월 29일 잡보 「報償發起人及趣旨一束」.
33) 『황성신문』 1907년 4월 29일 잡보 「婦人愛國盛」.

인민은 국가에 의지하고 국가는 인민에 의지하여 국가와 인민을 지탱하는 근본은 각각 의무가 있기 때문이다. 대한제국은 면적이 삼천리에 달하고 인민은 2천만 명에 달하나 국가재정에 여유가 없다. 결과로 외채는 1,300만 원에 달하는 거금이나 국고로 이를 변제할 능력이 전무한 실정이다. 다행히 대구광문사에서 국채보상을 창론한 결과로 전국 방방곳곳 민심을 감발시키고 있다. 비록 노동자들은 미미한 액수이지만 이를 의연하여 각종 신문에 게재하였으니 누가 흠탄하지 않으리오. 우리들도 2천만의 일 분자로서 전국적인 분위기에 동참하지 않을 수 없다. 그럼 만큼 금액의 다소에 구애됨이 자별적인 의연금 모금에 동참하여 미력하나마 국민된 의무를 다하자. 이러한 주장은 경쟁적인 참여를 이끌어내는 요인으로 크게 작용하였다.

이처럼 도내에 조직 · 활동한 주요 국채보상회는 주민들 참여를 유도하고 있었다. 일부는 직접 국채보상기성회로 직접 의연금을 우송하였다. 날마다 국채보상과 관련된 신문 기사는 자신의 행동거지나 일상사를 되돌아보는 계기를 제공하였다. 국채를 '국민의무'로서 규정하는 내용에 대한 공감은 경쟁적인 참여로 귀결되지 않을 수 없었다. 특히 정보 교류의 '첨단' 현장인 장날을 적극적으로 활용한 사실은 이를 반증한다. 현실적인 문제는 민중생활과 직접적인 관계 속에서 국권회복을 도모하려는 이들의 강력한 의지와 무관하지 않았다. 도내에 조직된 주요 국채보상회 현황은 〈표 1〉과 같다.

〈표 1〉 충북 도내 국채보상회 현황[34]

지역별	발기인	보상소 명칭	전거
충남북	충남북 54개군 유지신사	호중국채보상의조회	大 3.7
옥천	鄭惠溶·李圭淵·鄭鎭溶 洪承老·姜敬熙·梁斗煥 등 21명	옥천군단연의무회	만 3.6, 4.19 大 3.8, 4.4 황 3.9
문의	한춘동 등	국채보상회	황 3.29
진천	유지부인	국채보상회	황 4.29 ; 大 7.27
	鄭樞澤·李漢容	국채보상회	大 5.2-3
보은	李吉善·李謹載 方胤赫·張斗煥	국채보상단연동맹회	만 4.4 大 4.3, 4.16
영동	鄭範錫·崔昌翰·林東根 洪元燮·朴贊一·金東夏 등 18명	국채보상회	황 3.18 大 3.23
영동	李範行·鄭淳瓚 등 2인	國債務成會	황 3.29
청산	金永周·宋益在 등 7인	국채보상의제사	황 3.28 ; 대 4.12
단양	吳善泳·張憲永·沈羲慶 池吉煥·吳炳稷 등 22명	국채보상의무소	황 4.23, 5.14
청주	金允五·朴濟洪·李東信	국채보상회	大 4.19
	유기원 등 장졸	-	大 3.7, 3.16
음성	윤기헌·윤태식 등	국채보상사	大 3.9, 3.17, 3.19, 3.23
충주	신홍균·홍명학·정운필 이정래·조철구·박도양 이건영·유하영 등	국채의연소	大 4.10, 4.12, 4.23 만 5.29 ; 황 3.12, 12.29 대동 (2)-60·61
충주	申洪均 등	국채보상회	황 3.29
충북	권봉수·박도양·조기환	국채보상충북발기인회	大 3.26
회인	許遵·朴仁根·李圭成 등 14명	국채보상소	황 3.28
횡간	송병화·송지수 등 8인	국채보상금취지서	황 3.29

34) 〈표 1〉에서 大는『대한매일신보(국한문혼용판)』, 대는『대한매일신보(한국판)』,
황은『황성신문』, 만은『만세보』, 대동은『대동보』를 각각 의미한다.

〈표 1〉에 나타난 바와 같이 충북지역 군내에 국채보상회는 각각 조직되었다. 국채보상기성회나 국채보상연합회로 송금한 의연금은 이러한 사실을 보여준다. 물론 일부는 모금한 사실은 알 수 있으나 구체적인 국채보상회 명칭은 파악할 수 없다. 단체명은 국채보상의조회·국채보상회·국채보상의무소·국채보상충북발기인회 등 매우 다양하였다. 1920년대 널리 사용된 단연동맹회·단연의무회라는 단체명은 이와 관련하여 의미하는 바가 크다.[35]

'국채=의무'로서 인식하는 상황은 호중국채보상의조회·국채보상의무회·국채보상의무소 등 명칭에 그대로 나타난다. 이는 심화된 민중의식을 반영한 점에서 중요한 의미를 지닌다. 활동가들은 참여를 유도하고자 '동질감' 조성에 노력하였다. 소통에 의한 '동반자 의식'에 주목하는 등 국권회복운동 성패 여부는 여기에서 찾았다.[36] 진천의 경우에는 여성들에 의한 국채보상회가 조직되는 등 커다란 반향을 불러 일으켰다.

모금활동은 대부분 이러한 단체를 중심으로 추진되었다. 이는 외부세계와 교류·소통이라는 측면에서 주목할 부분 중 하나임에 틀림없다. 교류 확대에 의한 소통은 주민들 현실인식 심화와 더불어 유대감을 공고하게 만드는 에너지원이었다. 국채보상운동은 경제적인 자립과 더불어 참여에 의한 사회적인 모순을 인식·타파하는 데 이바지하였다.[37] 근대교육 확산에 따른 인식 변화는 이와 같은 다양한 경험 축

---

35) 오미일, 『경제운동 : 한국독립운동의 역사 36』, 한국독립운동사편찬위원회·한국독립운동사연구소, 2008, 218쪽.
36) 김동전, 「근대 제주지역 지식인의 외부세계 소통과 활동」, 「역사민속학」 27, 한국역사민속학회, 2008, 80~85쪽.

적에서 가능할 수 있었다. 대한제국기 충북지방 사립학교설립운동 진전은 이러한 사실을 보여준다.[38]

3. 전개양상과 지역적인 특성

충북지역 국채보상운동은 다른 지역과 마찬가지로 유사한 전개양상을 보여준다. 동시다발적으로 전개되는 등 적극적인 주민들 참여 속에서 이루어졌다. 특히 학생들 자발적인 동참은 외세의 침략에 맞서 저항정신을 일깨우는 현장교육이나 마찬가지였다.[39] 충북국채보상회는 발기인 권봉수·朴道陽·曹箕煥 등에 의하여 조직되었다. 열성적인 활동은 도내 의연금 모금에 대한 분위기를 일신시켰다.[40]

옥천군 의연 활동은 현지 일본인 교사 참여로 이어지는 등 분위기를 고조시켰다. 彰明學校에 재직 중인 堤廣吉은 5원을 수금소로 보내는 한편 단연을 결심한 후 학생들에게 이를 강조하였다.

我는 本是 日本人이나 現今 韓國疆土內에 居生ᄒ니 當然히 萬國
通義를 依ᄒ야 韓國을 爲홀거시라. 今日로 爲始ᄒ야 我도 斷烟
同盟ᄒ노니 一般學生의 本國을 愛ᄒᄂ 思想이 엇지 我에 不及ᄒ

---

37) 『대한매일신보』 1907년 3월 20일 잡보 「國債報償義金募集趣旨書」.

38) 김형목, 「한말 충북지방의 사립학교설립운동」, 『한국근현대사연구』 23, 한국근현대사학회, 2002.

39) 김형목, 「국채보상운동」, 『충청남도지(근대편)』 8, 266쪽.

40) 『대한매일신보』 1907년 3월 26일 잡보 「三씨發起」.

　　　리오 호고 義捐호기를 勸告혼다더라.[41]

　　그는 일본인이나 한국에 거주하는 사람으로서 당연히 사회운동에
참여하여야 한다. 한국을 위한 활동은 만국통의에 전혀 저촉되지 않
는 지극히 상식적인 일이다. 이는 학생들에게 생존경쟁시대에 처한
현실에서 경제적인 자립의 중요성을 일깨웠다. 주민들에게도 참여를
권유하는 등 소통과 교류에 노력하였다. 『만세보』 등은 그의 행동을
'萬國通義'로서 찬사를 아끼지 않았다.[42] 민족의식은 현실에 나타난
모순을 직시하는 가운데 보다 심화될 수 있었다. 12월까지 전개된 모
금활동은 이러한 인식과 무관하지 않았다.[43] 창명학교 운영비 확충을
위한 의연금 모집에 불응한 학부대신과 탁지부대신에 대한 비난은 이
와 관련하여 시사하는 바가 크다.[44]

　　충주군 동량면 하곡동·소파동·갑산동 徐相晳 등은 7원 25전을 모
금하였다. 장호원동은 洞中 결의에 의하여 한 가구당 최소한 3~4환씩
갹출하기로 결의했다. 그런데 동네에서 가장 유족한 2명은 여러 구실
로 동참하지 않았다. 이에 수금원이 직접 찾아가 할당액을 받았다. 감
물면 주월리 盧義洙 등 28명은 10원 52전, 앙암면 웃바우 안근용과 모
친 등 59명은 신화 22원 20전을 의연하였다. 특히 부녀자들은 자발적
인 참여를 마다하지 않았다. 유등면 문박리 임천조씨 문중 11명도 신

---

41) 『만세보』 1907년 4월 3일 잡보 「日敎師斷烟」 ; 『대한매일신보』 1907년 4월 5일
　　「筆下層瀾」.
42) 『만세보』 1907년 4월 4일 언단.
43) 『황성신문』 1907년 12월 21일 광고.
44) 『황성신문』 1907년 2월 27일 잡보 「大臣慳助」.

화 3원 모금했다.[45] 문중 조직에 기반한 활동은 족적 유대가 강한 다른 문중에 자극제로 작용하였다.[46]

충주에 거주하던 어떤 사람은 의연금을 모금하여 상경하는 도중에 도둑떼를 만나 피탈되었다. 그는 도둑을 향하여 "이는 국채보상금이니 내 비록 (의연금-필자주)을 빼앗겼으나 너희는 불과 몇 십리 못가서 죽음을 면하지 못하리라."고 하자, 도둑떼는 놀라서 말하기를 "이것이 국채보상금인 줄 전연 몰랐노라."하면서 즉시 되돌려 주었다. 더욱이 10원을 보태어 주면서 '국채보상에 보태 쓰라'하거늘 그 사람이 성명을 물은 즉 "노출이 불가하니 상경하거든 충주 등지의 도둑떼가 국채보상금 10원을 의연하였다고 신문에 게재하라."고 하였다.[47] 이는 언론을 통하여 삽시간에 전국적으로 파급되었다.

이러한 분위기 속에서 죄수들 의연도 이어졌다. 李澤珪 등 16명은 6환 60전을 거두었다. 이들은 대한매일신보사로 공함까지 보내었다. 주요 내용은 "국채보상운동 소식을 듣고 비록 나라에 죄를 진 죄수이지만 동참하지 않을 수 없다. 음식값을 절약하여 한푼 두푼 모금한 의연금을 보낸다"고 밝혔다.[48] 이는 다른 지역 죄수들 동참을 유도하는 요인 중 하나였다. 목계 金喜雲·朴基鴻 등 125명은 신화 124원 75전

[45] 『대한매일신보』 1907년 4월 12일 광고 ; 『황성신문』 1907년 4월 12일 잡보 「果則乘擧」, 4월 23일 광고, 5월 10일 광고, 6월 1일 광고 ; 『만세보』 1907년 5월 29일 광고.
[46] 『황성신문』 1907년 3월 27일 잡보 「金門忠義」, 4월 11일 광고, 4월 15일 잡보 「兩門特義」, 6월 4일 「朴門愛國」.
[47] 『대한매일신보』 1907년 4월 10일 잡보 「賊猶知義」.
[48] 『대한매일신보』 1907년 4월 14일 잡보 「罪囚義연」, 4월 17일 광고.

을 모금했다. 엄정면 삼봉리 주민들도 동참하였다. 노은면 신흥리 주민 李敦性 등은 12월 말에 신화 6원 60전을 의연할 만큼 열성적이었다.[49] 이는 모금 분위기가 도내에서 가장 장기간 지속된 경우로서 주목되는 부분이다.

청주군은 취지서가 발표되기 이전부터 모금에 들어갔다. 청주진위대장 柳冀元 이하 장졸들은 3월 초순부터 모금에 들어갔다. 이들 318명은 3개월 단연을 결심한 후 1개월치 단연금 63환 60전을 보냈다. 당시 상황을 다음과 같이 보도되었다.

> …(상략)… 我國一千三百萬圓 借款을 報償이 無期ᄒ야 惟我二千萬 同胞에 晝宵憂慮者也러니 徐相敦氏의 斷烟同盟지說이 如披雲看月ᄒ야 滿心爽快라. 一隊軍人이 奮然發起ᄒ야 三朔斷烟條을 計數이온즉 領尉官士卒 三百十八員人에 合爲一百九十圓九十錢이온지라. 爲先以一朔條 六十三圓 十錢으로 玆以先送이라.[50]

군인들 위국충정하는 모범적인 의연금 모금은 곧바로 주민들에게 파급되었다. 청주보부상 左支社 두령 김형집 등 129명도 47원 10전을 거두었다.[51] 청주 청천면 어룡리 출신 李東奎는 빈한하여 서울에서 筆

---

49) 『대한매일신보』 1907년 4월 10~12일 광고, 4월 17일 광고, 7월 5~6일 광고, 7월 24일 광고, 7월 31일 광고, 8월 6 · 9 · 11 · 12 · 16일 광고 ; 『황성신문』 1907년 8월 10일 광고, 12월 29일 광고.

50) 『대한매일신보』 1907년 3월 7일 잡보 「淸隊出義」, 3월 16일 광고.

51) 『황성신문』 1907년 3월 18일 광고, 5월 25일 광고 ; 『대한매일신보』 1907년 4월 19일 잡보 「淸州郡國債報償會趣旨書」, 4월 28일 잡보 「淸隊斷烟」, 4월 30일 광고, 5월 15일 광고.

工으로 생업을 이어가고 있었다. 국채보상 소식에 붓값으로 받은 구화 5원을 황신신문사에 보냈다.[52] 주민들도 마을별로 모금운동을 전개하는 등 분위기 확산에 노력을 기울였다. 서면 목과동 밀양박씨 門長 朴讚鎭과 종손 朴南圭의 열성적인 활동은 귀감으로서 널리 칭송되었다. 이들은 100원에 달하는 거금을 모금한 후 직접 상경하여 황성신문사에 전달하였다.[53]

영동군은 상무회의소 주도로 3월부터 모금되었다. 동면 회동리 李揆大·李最鍾 등도 5환 55전을 모금 의연하는 등 분위기 확산에 노력을 기울였다. 영내면 기동 주민은 45원 70전을 모금하였다. 영동군 국채보상회는 일시에 110원을 모금할 정도로 대단히 적극적이었다.[54] 모금에는 상업회를 비롯한 전·현직 관리 등이 동참하였다. 특히 대한회사 역부 정치권 등과 초부 이승수 등 노동자 동참은 동료들을 분발시켰다. 당시 동참한 인원은 어물상 이씨부인과 주점 임씨부인 등 100여명이었다.[55] 읍내 고용인은 두목 大房에 의하여 주도되었다. 그는 고용인을 회집시켜서 개인당 매월 연초대 1냥씩 3개월간 3냥씩 거출할 것을 권유하였다. 지금 당장 현금이 없는 자는 주인에게 사정하여 우선 선불을 받아 모금에 동참하자고 호소했다.[56] 이는 단연과 더불어

---

52) 『대한매일신보』 1907년 5월 1일 잡보 「賣筆捐助」.

53) 『황성신문』 1907년 4월 10일 잡보 「朴門出義」.

54) 『황성신문』 1907년 3월 18일 잡보 「發義寄函」 ; 『만세보』 1907년 4월 21일 광고 ; 『대한매일신보』 1907년 3월 23일 광고 「충청북도영동군국채보상회취지서」, 4월 9~10일 광고, 7월 18~19일 광고.

55) 『대한매일신보』 1907년 4월 10일 광고.

56) 『대한매일신보』 1907년 4월 13일 잡보 「雇傭同盟」.

노동자에 대한 사회적인 인식 변화를 초래하는 요인이었다.

단양군 국채보상의무소는 오선영·장헌영 등에 의해 설립되었다. 임원진은 소장 오선영, 부소장 장헌영, 감독 심희경, 발기인 李寅文·李晉夏·裵錫龜 등이었다.57) 이들은 일시에 303원 8전을 모금할 정도로 주민들로부터 상당한 호응을 받았다. 특히 황성신문사 경비의연금으로 2원을 별도로 보냈다. 국채보상운동에 대한 대대적인 홍보는 운영진에게 새로운 메시지나 마찬가지였다. 이어 5월 말까지 군내에서 모금된 금액은 신화 139원이었다. 여기에 동참한 사람은 朴初陽·張輿根 등 무려 780여 명에 달하였다. 이러한 분위기는 경쟁적인 모금활동으로 이어졌다. 마을 단위로 모금된 현황은 이를 반증한다. 읍면 현천리·북하리 등을 비롯한 40여 동리에서 980여 명이나 참여하였다. 9월에는 군민 李文夏·李寅文 등 173명의 56원 41전과 북이리·상진리 주민 140여 명의 신화 26원 7전 5분의 모금이 있었다.58) 충북 내에서 가장 많이 국채보상운동에 참여한 지역은 바로 단양군이었다. 최소한 2,500명 이상이 동참하는 상황은 이를 그대로 보여준다.

음성군 여성들 동참은 사회적인 존재성과 자기정체성을 부분적이나마 인식하기에 이르렀다. 金目面 無極里 부인들은 조직적인 모금에 앞장섰다. 20명 부인이 의연한 품목은 龍簪 1개, 은지환 8개, 菊花簪 1개등 15원 20전에 달하는 금액이었다. 동면 송당리 주민, 동군 곤지암리 주민들도 17환을 의연하는 등 적극적인 동참을 마다하지 않았다. 근북

---

57) 『황성신문』 1907년 4월 23일 광고 「충청북도 단양군국채보상의무회취지서」.
58) 『황성신문』 1907년 5월 14일 잡보 「致謝義助」, 6월 10일 광고, 7월 1~2일 광고, 10월 13일 광고.

면 구산동 주민도 8환 60전을 의연하였다. 법왕면 후평 주민도 15환 55전을 의연하는 데 앞장섰다. 무극면 곤지암리 李直來·林承俊 등 60여 명도 참여하는 등 분위기 조성에 이바지하였다. 무수동·생탕동·도관동 김씨문중 등도 경쟁적인 모금대열에 나섰다.[59]

음죽군은 4월 중순경부터 모금활동이 본격적으로 전개되었다. 남면 장호원 석교촌 전사과 이덕흥과 전참봉 김제헌 등은 120원 80전을 모금하였다. 필현 노병옥·노병준 등 노씨문중과 주민도 16원 의연하는 등 매우 적극적이었다.[60] 장원평촌 전참봉 조봉희와 백정 조금성 등 80여 명은 154환을 의연하였다. 동면 와동 한씨문중은 엽전 80냥을 모금하는 데 앞장섰다. 하율면 동문리 이주현·최돌세 등 32명도 12환 30전을 모금했다. 상율면 팔성리 어씨문중과 동민 30여 명은 14원 75전, 상산동 김영국 등 13명은 3원 15전을 거두었다. 군내면 신추동 한성원과 구추동 이근영 등도 신화 28원 95전을 모금하였다.[61]

진천군 광혜원에 거주하는 기생 翠蘭은 여자교육회를 조직하여 여성교육 보급에 노력하였다. 교사를 초빙하는 등 운영비 전부도 독담함으로써 여성교육에 대한 관심을 고취시켰다. 그녀는 국채보상운동에 즈음하여 의연금 모집을 전개하는 등 여성들 사회인식을 일깨우는 데

59) 『대한매일신보』 1907년 3월 9일 잡보 「鐘環補月」, 3월 16일 광고, 4월 25일 광고, 5월 23일 광고, 8월 8일 광고 ; 『만세보』 1907년 4월 9일 광고, 4월 23일 광고, 5월 28일 광고, 6월 1일 광고 ; 『황성신문』 1907년 4월 6일 광고, 5월 10일 광고, 5월 13일 광고, 5월 27일 광고.

60) 『대한매일신보』 1907년 4월 13일 광고 ; 『황성신문』 1907년 4월 20일 광고, 5월 8·9일 광고, 5월 25일 광고, 6월 4~5일 광고, 6월 22일 광고, 6월 25일 광고.

61) 『황성신문』 1907년 8월 6일 광고 ; 『대한매일신보』 1907년 4월 13·16·20일 광고, 5월 23일 광고, 7월 17~18·21·27·30일 광고, 8월 10일 광고.

앞장섰다. 우지사 상민 박연식 · 박주환 등 60여 명은 141환 60전을 모금하였다. 월촌면 하룡리 鄭瓚朝 · 鄭行權은 각각 2원과 1원을 직접 황성신문사로 보냈다.[62]

상인들의 대대적인 참여는 생존권 위협에 대한 가장 현실적인 대응책 중 하나였다. 옥천군국채보상단연동맹회는 1개월 가량 모금한 105환 55전을 황성신문사로 송치하였다. 발기인들은 취지서를 연속적으로 발표하는 등 주민들 관심을 환기시켰다. 장날 가두연설은 가장 참신하고 현실적인 방안 중 하나였다.[63] 읍내 · 군내면 · 군서면 · 군북면 등지 200여 명은 일시에 105원 55전에 달하는 거금을 모금했다. 이는 경쟁적인 모금운동을 전개함으로 가능할 수 있었다.[64] 이러한 방식은 대부분 국채보상회에서 활용하고 있었다.

보은군은 취지서 발표 이후부터 모금에 들어갔다. 발기인 이길선 · 방윤혁 · 장두현 등은 수금소를 이근재 집에 두었다. 『대한매일신보』에 2회나 게재된 취지서는 주목을 받았다.[65] 보은군국채보상지회소는 100여 명이 의연금 39원 15전을 모금하였다. 실제 참여자는 이보다 훨

---

[62] 『대한매일신보』 1907년 3월 31일 잡보 「蘭妓熱心」;『황성신문』 1907년 3월 20일 광고, 4월 29일 잡보 「婦人愛國誠」, 5월 11일 광고, 5월 15일 광고, 5월 24일 광고, 5월 11일 광고, 7월 31일 광고.

[63] 『만세보』 1907년 4월 19일 잡보 「沃郡義金」;『대한매일신보』 1907년 3월 8일 잡보 「충청북도옥천군국채보상단연의무회취지서 鄭德溶 等」, 4월 4일 잡보 「국채보상단연의무회취지서 발기인 리규淵 명德溶 等」.

[64] 『황성신문』 1907년 5월 4일 광고.

[65] 『대한매일신보』 1907년 4월 3일 잡보 「忠北報恩郡國債報상斷烟同盟募集金趣旨書」, 4월 16일 잡보 「報恩郡國치報償斷烟同盟募金취지서」;『만세보』 1907년 4월 4일 잡보 「충북 보은군국채보상단연동맹모집금취지서」.

씬 많았다. 상궁평동·하궁평동·수남동·화평동 등 마을 단위로 공동
의연한 경우가 적지 않기 때문이다.[66] 5월 황성신문사로 기탁된 의연
금은 신화 112원 55전이었다. 동참한 인원은 300여 명 이상이었다. 향
촌공동체에 의한 동리 공동기금으로 의연한 경우도 적지 않았다. 이러
한 분위기는 9월경까지 지속되었다. 일부는 직접 서울로 송금하는 경
우도 있었다.[67]

괴산군은 비교적 늦게 시작되어 이듬해까지 모금하는 기록을 남겼
다. 전군수 안기용과 전의관 김수현 등은 국채보상회 발기인을 자처하
고 나섰다. 동시에 의연금을 모집하는 등 주민들 적극적인 참여를 유
도하였다.[68] 남중면 유평 이씨문중은 신화 2원을 모금하였다. 읍내 동
부 유씨문중 柳達根 등도 6원을 의연했다. 읍내 서부 정3품 김성호 등
일가도 3원을 우송하였다. 동하면 두천리 김재순은 혼자 2환을 의연하
는 등 주민들 참여를 호소했다. 산북면 신점동 유춘수 등 50여 명은
12환 33전을 모금하였다.[69] 이곳은 1908년 1월까지도 모금활동이 진
행되고 있다. 북중면 可壯(庄)洞 姜信浩·金相鉉·金斗會·李宅善·
李圭哲·鄭容馥·柳春秀·全容黙·崔鍊浚·李殷雨 등은 의연금 모
집에 적극적이었다. 가장동·內谷·下老洞 주민 47명은 모금된 의연
금 8원 95전을 대한매일신보사로 우송하였다.[70] 이는 국채보상운동

---

66) 『대한매일신보』 1907년 7월 27·30일 광고 ; 『대한매일신보』 1907년 5월 24일
 광고.
67) 『황성신문』 1907년 5월 4일 광고, 5월 6일 광고.
68) 『大韓每日申報』 1907년 4월 20일 잡보 「兩氏愛國」.
69) 『황성신문』 1907년 5월 25일 광고 ; 『대한매일신보』 1907년 5월 8일 광고.
70) 『대한매일신보』 1907년 12월 25일 잡보 「熱心報債」, 1908년 1월 8일 광고.

에 대한 주민들의 지속적인 관심사를 보여준 점에서 중요한 의미를 지닌다.

이처럼 충북인은 열성적으로 참여하는 상황이었다. 물론 참여 인원수나 모금액은 상당한 편차를 보인다. 이는 각 지역별 사회 · 경제적인 여건이나 운동주체의 역량 등과 무관하지 않았다. 〈표 1〉에 근거한 외형상으로 드러난 특징은 다음과 같이 정리할 수 있다.

첫째는 지역별 상당한 편차를 보인다. 모금액수는 참여 인원수와 반드시 비례하지 않았다. 청주 · 충주 · 옥천 · 단양 등지는 비교적 활발한 활동상을 보여준다. 반면 제천 · 괴산 등지는 '비교적' 미진한 분위기 속에서 전개되었다. 이는 주요 활동가 열의와 경제적인 여건 등이 모금에 주요한 요인으로 작용하지 않았는가 생각된다.

둘째는 상인층과 군인들의 활발한 모금활동이 있었다. 상인과 군인 등은 일제의 침략을 누구보다 직접적으로 느끼는 계층이었다. 일제의 경제적인 침략 강화는 상인층 생존권마저 위협하는 상황과 맞물려 있었다. 유통망 장악을 통한 일본 상인들과 경쟁은 애초부터 거의 불가능하였다. 더욱이 미약한 자본력과 화폐개혁을 빙자한 일본화폐 유통은 심각한 상황으로 내몰았다.[71] 군인들도 역시 마찬가지 상황에 직면하고 있었다. 식민지화를 위한 침략정책은 군사제도 전반에 대한 무력화로 이어졌다.[72] 이러한 위기의식은 국채보상운동에 대한 적극적인

---

[71] 오두환, 「한말 차관문제의 전개과정」, 『한국민족운동사연구』 8, 45~55쪽.

[72] 『황성신문』 1907년 3월 9일 잡보 「軍豫斷烟」, 3월 23일 잡보 「兵詰慶祝」 ; 김세은, 「개항 이후 군사제도의 개편과정」, 『군사』 22, 국방부 전사편찬위원회, 1991, 109~115쪽.

참여를 유도하는 요인이었다. 청주진위대 활동은 관내 분위기를 일신
시키는 기폭제였다.

셋째는 문중 조직에 의한 자발적인 참여였다. 족적 기반에 근거한
강한 유대감은 경쟁적인 모금을 이끌어내는 요인 중 하나로서 작용하
였다. 이른바 '문중학교' 설립도 이와 같은 원리에 의해 이루어졌다. 향
촌공동체의 운영 원리에 입각한 이러한 방식은 동리 단위로 동참을 유
도할 수 있었다. 생활 정도에 따른 의연금에 대한 차등 징수는 사회적
인 호응과 분위기를 조성하는 밑거름이었다.[73] 다른 한편은 주민들 반
발을 초래하는 요인 중 하나임에 틀림없었다.

넷째는 종교계의 활동이 거의 전무한 실정이었다. 기독교계 · 불
교 · 천도교계에서 전개한 집단적인 의연활동은 전혀 찾아볼 수 없
다.[74] 물론 개별적인 의연활동이 전혀 없었다는 의미는 결코 아니다.
다른 지역에서 드러난 일정한 역할을 보여준 점과 대조를 이룬다. 이
는 敎勢가 미약한 점과 무관하지 않았다. 종교계 지도자나 교단 차원
에서 모금활동은 계획조차 전혀 없었다.

다섯째는 걸인 · 죄수 · 백정이나 도둑 등의 적극적인 참여다. 사회
적으로 가장 천대를 받았던 이들 참여는 국민운동으로 전개될 수 있는
계기를 제공하였다.[75] 이러한 소식은 충북뿐만 아니라 전국적인 관심

[73]『만세보』1907년 4월 11일 잡보「國債報償義捐一評」, 4월 13일 잡보「國債報償聯
合近況」; 임춘수,「신규식 · 신채호 등의 산동문중 개화사례」,『윤병석교수화
갑기념 한국근대사논총』, 논총간행위원회, 1990.
[74]『황성신문』1907년 3월 18일 잡보「天敎愛國」; 임혜봉,「국채보상운동과 불교
계」,『일제하 불교계의 항일운동』, 민족사, 2001 ; 한규무,「국채보상운동과 한국
개신교계」,『숭실사학』26, 53~56쪽.

을 끌기에 충분한 내용을 담고 있었다. 특히 도둑들 의연은 신문을 통하여 널리 회자될 만큼 커다란 반향을 불러 일으켰다.[76]

　마지막으로 여성단체 조직에 의한 모금활동은 부인들 참여를 유도하는 주요한 계기였다. 이는 보수적인 성향이 강한 상황을 돌파할 수 있는 배경이었다. 국채보상회를 조직한 주요 인물은 사회적으로 냉대를 받던 기생들이었다. 취란 등은 이미 여학교를 설립·운영하는 등 사회적인 활동에 적극적으로 나섰다. 국채보상운동도 이들에 의하여 주도될 만큼 이들 역할은 적지 않았다.[77] 이들은 가정부인에 비하여 시세변화에 부응하여 사회활동 영역을 확대하고 있었다.

4. 지역운동사상 의의

　자아각성은 사회운동 참여로 이어지는 등 변화하는 상황에 역동적인 대응책 모색으로 귀결되었다. 특히 노파·야장·주모·걸인 등은 자신의 존재성을 재발견하는 중요한 계기였다.[78] 타율적·소극적인 참여가 아닌 변화에 부응하는 새로운 가치관을 정립·견지하는 차원에서 이루어졌다. 이는 경제운동을 넘어 새로운 사회질서를 모색하는 방

---

75) 『황성신문』 1907년 3월 14일 잡보 「丐人亦感」, 4월 26일 광고, 10월 12일 광고.
76) 『대한매일신보』 1907년 4월 10일 잡보 「賊猶知義」.
77) 『황성신문』 1907년 2월 26일 잡보 「藥妓囮價」 ; 박용옥, 「남녀동권의식의 발로」, 『한국근대여성운동사연구』, 142~144쪽.
78) 『황성신문』 1907년 8월 12일 광고, 8월 21일 광고 , 10월 19일 광고.

향으로 전개되었다. 잔존한 신분제 철폐와 약자에 대한 인식 변화는
이러한 가운데 진전될 수 있었다.

대한제국기 계몽운동 확산은 이러한 변화와 긴밀하게 맞물려 진행
되었다. 관내 각지에서 전개된 '공공성'에 입각한 사립학교설립운동이
나 야학운동 진전은 이를 반증한다.[79] 국채보상운동은 개인으로 하여
금 사회적인 역할과 현실인식을 확대·심화시키는 요인 중 하나였다.
계몽운동이 진전되는 가운데 자발적·적극적인 참여는 이와 같은 역
사적인 연원에서 가능할 수 있었다.[80]

일제의 침략 강화는 배일의식을 새삼 일깨우는 계기였다. 특히 상권
을 둘러싼 경제적 불평등은 일상사에서 크게 드러났다. 일본인 상인이
나 자본가들은 식민당국자의 지원하에 불법적인 행위를 일삼았다. 권
력 비호와 거대 자본으로 무장한 이들과 경쟁은 애초부터 상대하기에
너무나 벅찬 현실이었다.[81] 상인층의 적극적인 동참은 이와 맞물려 진
전되어 나갔다. 이들은 일제침략의 '최전선'에서 생존권을 크게 위협당
하는 계층이었다. 일본인 상인들에게 상권을 상실하는 가운데 예속적
인 위치로 점차 전락하고 있었다.

모금활동을 위한 다양한 방법론 모색은 새로운 토론문화를 정착시
키는 계기였다. 의견 개진은 스스로 사회적인 존재성을 인식하는 동시

---

79) 김형목, 「한말 경남지방 야학운동의 전개양상과 운영주체」, 『한국민족운동사연
구』 63, 한국민족운동사학회, 2010, 28~29쪽.
80) 『만세보』 1907년 4월 11일 잡보 「國債報償義捐一評」, 5월 25일 잡보 「民志漸發」.
81) 『대한매일신보』 1907년 3월 6일 잡보 「日商致斃」, 5월 2일 잡보 「秋水劍歌」,
9월 24일 잡보 「地方消息」, 9월 25일 잡보 「地方情形」.

에 자신의 가치성을 제고시킬 수 있었다. 소통에 의한 교류 확대는 '사회적인 책무'를 자각하는 요인이었다. 청주지역 유림들의 의연금 모금은 이러한 사실을 극명하게 보여준다.

> …(상략)… 牙山 木川 淸州 淸安 等郡에셔 校中儒林들이 發論ᄒ
> 야 貧富을 勿論ᄒ고 每戶에 葉六兩 或三四兩式 收斂ᄒ다니 此非
> 義捐이오 戶斂과 如ᄒ즉 該郡儒林들은 此重大ᄒ 義務方針을 深
> 量ᄒ야 逐戶均斂을 勿施ᄒ고 愚夫庸民의게 報償義捐의 裏面만
> 說明ᄒ야 隨其力판出홈이 妥當홀 듯ᄒ더라.82)

즉 호당 할당된 강제적인 의연금은 적절한 방법이 아님을 힐책하고 있다. 이들은 아무리 좋은 취지라도 戶稅에 준하는 방법은 온당하지 못하다고 비판했다. 愚夫匹婦에게도 충분한 취지를 설명·계몽한 후 이를 시행할 것을 권고하였다. 청주 살미면 공이동 鄭斗煥의 황성신문사 경비 의연은 이와 관련하여 의미하는 바가 크다.83)

진천군국채보상회 김병욱과 정환섭 등은 단연동맹과 국채보상을 국토 보존을 위한 일환임을 밝혔다.

> …(상략)… 凡今二千萬同胞가 斷烟同盟ᄒ고 國債報償ᄒᄂ 義
> 務ᄂ 我國疆土保存ᄒ기를 注意홈인딕 貪利忘義輩가 所有田土
> 를 賣渡外人이 易若茶飯홀ᄲᆞᆫ外라. 甚至市快而紹介者도 有ᄒ며

---

82) 『대한매일신보』 1907년 3월 24일 잡보 「排斂弗可」.
83) 『황성신문』 1907년 6월 25일 잡보 「感荷義捐諸氏」.

僞券而抑勒者도 ᄒ야 三千里지全국이 其將席捲以入ᄒ리니 然
則斷烟은 姑舍ᄒ고 絶食이라도 莫可償還홀지라. 先自本會로셔
境內에 如有此等孛行이거든 開會質問後에 所賣價額은 輸入逐
會中ᄒ야 以充國債ᄒ고 毁家逐出ᄒ야 我혼國民으로 勿認ᄒ면
他地方 각會에셔도 必當同此義務ᄒ야 相應齊發ᄒ리라고 確論
ᄒ얏다더라.[84]

　2천만 동포가 단연동맹하여 국채를 보상하는 의무는 우리 국토를 보
전하기 위힘이다. 그럼에도 이익을 탐하는 무리는 외국인에게 도지를
방매하는 망국적인 행위를 아무 거리낌 없이 행한다. 관내에 이와 같
은 패륜적인 행위가 발생하면 반드시 국채보상회를 개회한 후 의결에
따라 판매한 대금은 국채를 갚는 데 써야 한다. 그렇지 않으면 마을에
서 축출하는 동시에 한민족으로서 인정하지 말아야 한다는 입장을 밝
혔다. 망국적인 패륜행위에 대한 단죄는 구성원의 의견에 따라 이루어
져야 함을 강조하였다.

　반면 주민들 열의와 달리 활동가들은 이를 제대로 견인하지 못하였
다. 일제 탄압이나 회유책에 효과적인 대안을 강구하기는커녕 사실상
속수무책이었다.[85] 이들은 모금된 의연금을 중앙수금소로 전달하는
데에만 급급할 만큼 안주하고 있었다. 중장기적인 계획에 따라 운영되
지 못하는 상황에 직면했다. 도내 설립된 다대수 국채보상회는 이러한
분위기에서 크게 벗어나지 못하였다. 이는 국채보상운동을 퇴조시키

---

84) 『대한매일신보』 1907년 5월 3일 잡보 「疆土保存의 方針」.

85) 『만세보』 1907년 4월 30일 「統監宴待大官」, 6월 15일 잡보 「國債報償」 ; 『대한매
　일신보』 1907년 5월 5일 잡보 「總合所輪函」.

는 요인 중 하나였다. 1907년 8월 이후 부진한 모금활동은 이와 관련하
여 많은 시사점을 준다.

특히 충북관찰사 尹吉炳은 모금활동을 방해하는 등 고조되는 분위
기에 찬물을 끼얹었다.[86] 음성군 무극시장에서 국채보상운동을 주도
한 鄭燮憲·尹泰植 등에 대한 불법적인 체포·구금은 대표적인 경우
이다.

> 忠北 來人이 傳說ㅎ되 陰城 無極市에서 國債報償事로 前府使 鄭
> 燮憲 尹泰植 諸氏가 各自 出義收合之際에 本觀察 尹吉炳氏ᄂ 抑
> 何心腹으로 多發巡卒ㅎ야 鄭尹 兩氏를 捉去煨煉ㅎ니 尹吉炳氏
> 가 本是 一進之魁ᄂ 世所共知나 今에렂은 衆論이 藉藉허더라.[87]

윤길병은 일진회 회원으로 어수선한 시국에 편승하여 관찰사인 고
위 관직에 오른 친일파였다. 이와 같은 패륜적인 행위는 주민들로 하
여금 참여를 주저하게 만드는 요인으로 작용하였다. 우려는 현실로 나
타나고 말았다.[88] 충북지역 부진한 모금액은 이러한 사실을 그대로 보
여주는 부분이다. 자신의 불법행위가 보도되자, 그는 동생을 직접 대

86) 『만세보』1907년 3월 21일 언단.

87) 『대한매일신보』1907년 3월 17일 잡보 「忠察忘國」.

88) 국사편찬위원회, 「윤길병」, 『대한제국관원이력서』, 1972, 225쪽 ; 『황성신문』
1906년 8월 23일 관보 「敍任及辭令」, 8월 27일 논설 「將賀忠北之民」, 10월 9일
잡보 「忠察演說」 ; 『대한매일신보』1907년 3월 19일 잡보 「躍贐精金」, 3월 20일
잡보 「唾罵逢賊」·「倚劍長嘆」 ; 『만세보』1907년 3월 21일 잡보 「尹吉炳」, 3월
28일 잡보 「忠州 申洪均」 ; 김형목, 「해제, 한말~일제초기 친일의 유형과 논리」,
『친일반민족행위관계사료집』2, 친일반민족행위진상규명위원회, 2007.

한매일신보사로 보내 변명하기에 급급하였다. 모금을 방해한 자는 일본 경찰임을 거듭 밝히는 등 구구한 변명으로 일관했다.[89]

의연금 모집 주동자에 대한 탄압은 공분을 크게 불러 일으켰다. 매국적인 행위는 빠른 속도로 각지에 파급되었다. 심지어 价川에 거주하는 朴容升은 삼천리 강토를 없애고 이천만 생령을 진멸시키는 매국행위라고 맹비난을 퍼부었다.[90] 더욱이 일제는 국채보상금 횡령혐의로 梁起鐸을 구속하는 등 탄압에 광분하고 있었다. 불신감 조장은 고조된 분위기와 관심사를 희석시키는 촉매제나 마찬가지였다. 영춘군 경우 의연금 일부를 보관하다가 1910년 5월 국채보상금처리위원회에 송금한 사실은 이와 관련하는 시사하는 바가 크다.[91]

의병전쟁 확대도 의연금 모집에 차질을 초래하는 요인으로 작용하였다. 제천 · 음성 · 보은 · 진천 등지에서 격화된 의병진 활동은 이러한 사실을 분명하게 보여준다.[92] 의병진은 일진회원을 주살하는 등 항일전 주역으로 활동하고 있었다. 이에 따른 민심불안은 사회적인 불안을 확대 재생하고 말았다. 특히 일본군은 洞會나 面民大會 개최조차 불허하는 등 의연금 모금활동을 불가능하게 만들었다.

단연에 의한 국채보상운동은 전 민족적인 참여와 국내에 거주하는 외

89) 『대한매일신보』 1907년 3월 23일 잡보 「筆峰尤奇」, 4월 5일 잡보 「黃金觀察」 ; 『만세보』 1906년 8월 14일 잡보 「忠北民의 匿名書」, 8월 15일 잡보 「尹氏淸談」, 1907년 3월 21일 잡보 「尹吉炳」, 3월 28일 잡보 「忠州 申洪均」.

90) 『대한매일신보』 1907년 3월 20일 잡보 「唾罵國賊」.

91) 『황성신문』 1910년 3월 2일 잡보 「忠實斯人」. 5월 21~28일 광고.

92) 『만세보』 1906년 8월 15일 잡보 「忠北賊警」 ; 『황성신문』 1907년 8월 21일 잡보 「地方消息一束」, 9월 17일 잡보 「李總相農幕被燒」 ; 『대한매일신보』 1907년 12월 20일 잡보 「陰城義擾」 · 「經擾後報」와 지방소식, 12월 24일 잡보 「文蹟無據」.

국인들도 동참하는 가운데 새로운 사회변화를 모색하는 돌파구였다. 일
본인 동참은 모금 분위기를 고조시키는 요인 중 하나였다.[93] 단연운동은
시대적인 상황과 맞물려 널리 확산되어 나갔다. 건강과 위생에 대한 관심
고조와 더불어 담배가 백해무익한 기호품임을 강조하였다. 심지어 일본
인 역부조차도 지방관 흡연을 시대에 역행하는 일이라고 비난했다.[94]

　이러한 분위기는 시대변화에 부응한 가치관 창출을 위한 활동으로
이어졌다. 기호흥학회나 대한협회 등 지회원 활동은 이를 반증한다.
강연회 · 연설회 개최와 학교 설립에 의한 민지계발은 국채보상운동을
경험하면서 보다 확산되는 계기였다. 대한제국기 충북지역 사립학교
설립운동이나 야학운동 진전은 이와 같은 역사적인 배경 속에서 이루
어졌다.[95] 더욱이 학생들의 국채보상운동 참여는 현실적인 문제를 직
접 체험하는 소중한 현장교육이었다. 참여를 통한 경험은 사회구성원
으로서 존재성을 느끼는 동시에 향후 스스로 역할 등을 고심하는 중요
한 계기였다.

　국채보상운동을 주도한 인물 대부분은 지역사회에서 국권회복운동
을 이끄는 중심세력이었다. 옥천군수 申鉉九는 청년자제를 위한 옥천
학무회를 조직하였다.[96] 전의관 宋聲淳이 지은 「통곡경고문」은 중요

---

93) 『황성신문』 1907년 3월 6일 광고, 3월 27일 논설 「自愛而後에 人愛之」, 4월 11일
　　광고.
94) 『황성신문』 1907년 2월 26일 잡보 「英校斷烟」, 3월 1일 잡보 「大邱來信」, 3월
　　8일 잡보 「車夫責官人」 ; 『대한매일신보』 1907년 3월 19일 잡보 「能無自愧」.
95) 『만세보』 1906년 8월 24~26일 잡보 「약죄6군 각학교 제1회 시찰사항」 ; 김형목,
　　「한말 충북지방의 사립학교설립운동」, 『한국근현대사연구』 23, 한국근현대사학
　　회, 2002 ; 김형목, 「한말 충청도 야학운동의 주체와 이념」, 『한국독립운동사연
　　구』 18, 한국독립운동사연구소, 2002.

한 의미를 지닌다. "…(상략)…斷烟立會 동포들아 務圖報償 期成ᄒ세. 爭先出義 동포들아 忠奮義激 感謝ᄒ오. 國債淸帳 速히 ᄒ여 自由國民 되야보세."[97]라는 표현은 국채보상을 통한 자유스러운 일상사를 지향하고 있었다.

경제적인 자립은 곧 '자유로운 국민상'을 구축하는 기반이자 에너지원임을 강조하였다. 지역민들은 국채보상운동에 참여하는 가운데 스스로 자기존재성이나 자기정체성을 재발견하는 계기였다. '사회적인 책무'는 이러한 과정을 통하여 점차 자각하는 등 커다란 변화로 이어졌다. 국채보상을 국민적인 '의무'로서 인식하는 분위기 확산은 이를 반증한다.[98] 결국 시세변화에 부응한 사회활동은 역동적인 국권회복운동을 견인하는 밑거름이었다. 국채보상운동이 지닌 진정한 의미는 바로 여기에서 찾을 수 있다. 새로운 사회질서 모색은 이러한 시대상황과 맞물려 진행되어 나갔다.

5. 맺음말

충청북도 국채보상운동은 주민들 자발적인 참여 속에서 추진되었다. 지역명망가들은 「국채보상취지서」를 발표하는 등 선전활동에 전력을 기울였다. 일부는 경제적인 능력에 따라 의연금액을 배려하였다.

---

96) 『황성신문』 1908년 9월 22일 잡보 「玉川學務會」.
97) 『대한매일신보』 1907년 3월 9일 광고 「전의관 송성순 통곡경고」.
98) 편집부, 「단연동밍가」, 『대한자강회월보』 10, 70~71쪽.

이는 향촌공동체 운영 원리는 계승·발전시킨 방법론이라는 점에서 주목을 요하는 부분이다. 다만 현실을 고려하지 않은 강제적인 배당액은 비판을 받았다. 戶稅에 버금가는 준조세적인 배당액에 대한 저항은 고조된 분위기를 압살하는 요인이었다.

지역명망가들은 현지 여건을 최대한 활용하는 등 매우 적극적인 입장이었다. 취지서 발표는 물론 장날에 즈음하여 연설회를 개최할 만큼 주민홍보에 주력하였다. 이러한 분위기는 인근 지역으로 파급되는 가운데 자발적인 참여를 유도할 수 있었다. 영동·진천·보은·청주·옥천 등지에 조직된 국채보상회는 이를 반증한다. 장날은 물물교류는 물론 수많은 정보가 교류되는 현장이나 다름없었다. 당시 가장 주목된 '빅뉴스'는 각지에서 전개되는 국채보상과 관련된 미담사례였다.

열성적인 참여는 상인층과 군인 등이었다. 이들은 강화되는 일제의 침략으로부터 가장 직접적인 피해를 받는 계층이었다. 특히 청주진위대 병사들은 스스로 국채보상회를 조직하는 한편 솔선수범하는 자세를 보였다. 이들은 구국간성으로서 '국민의무'를 다하는 등 사회적인 귀감이 되었다. 현지 주민들도 이러한 소식을 접하면서 동리나 문중 단위로 의연금 대열에 경쟁적으로 동참하였다.

특히 진천군 광혜원 부인들의 조직적인 활동은 대단한 주목을 받았다. 기생들은 이미 여자교육회를 운영한 경험을 바탕으로 조직적인 모금활동을 전개할 수 있었다. 이는 여성에 대한 사회적인 인식을 크게 변화시키는 주요한 계기였다. 걸인·죄수·주모·백정 등 사회적으로 가장 천대를 받았던 계층도 참여를 마다하지 않았다. 10여 세에 불과한 아동들 동참은 사회적인 관심사로 부각되었다. 도둑들마저도 의연금을 자발적으로 내놓을 만큼 적극적이었다.

주민들 호응은 지역에 따라 상당한 편차를 보였다. 원인은 지역의 경제적인 상황이나 지역명망가 활동상 등에서 찾을 수 있다. 열화 같은 참여와 달리 국채보상운동은 8월 이후 침체기를 벗어나지 못하였다. 헤이그특사사건에 따른 광무황제 퇴위와 군대해산이 초래한 흉흉한 분위기, 선전활동에 대한 적극적인 언론탄압, 운영 방향을 둘러싼 갈등 등은 주요한 요인이었다. 활동가들은 이러한 분위기를 일신하는데 적극적이지 못하였다. 보다 계획적이고 중장기적인 방안을 모색하지 못한 채 안주하고 있었다. 충북관찰사 윤길병의 불법적인 행위에 대한 수수방관적인 태도를 이를 극명하게 보여준다.

충청인은 이를 통하여 새로운 사회질서를 모색하는 계기를 맞았다. 현실인식 심화와 자아각성 등은 스스로의 사회적인 책무를 일깨웠다. 사립학교설립운동이나 야학운동 등 '공공성'에 입각한 사회운동 참여는 이와 같은 역사적인 연원에서 비롯되었다. 국채보상운동의 진정한 의미는 바로 여기에서 찾을 수 있다. 이는 실력양성론에 입각한 일제강점기 문화계몽운동을 진전시키는 밑바탕이었다.

참고문헌

『황성신문』, 『대한매일신보』, 『제국신문』, 『만세보』, 『경향신문』, 『공립신보』.

『대한자강회월보』, 『대한협회회보』, 『대동보』, 『야뢰』.

국사편찬위원회, 『고종시대사』 5~6, 1972.

국사편찬위원회, 『통감부문서』.

대구광역시, 『국채보상운동100』 1~5, 국채보상운동기념사업회 · 대구흥사단, 2007.

석람김광제선생유고집발간위원회, 『독립지사 김광제선생 유고집 민족해방을 꿈꾸던 선각자(증보판)』, 2007.

우강양기탁선생전집편찬위원회, 『우강양기탁전집』, 동방미디어, 2002.

정　교, 『대한계년사』, 국사편찬위원회, 1957.

총무처 정부기록보존소, 『국권회복운동 판결문집』, 1995.

김형목, 『대한제국기 야학운동』, 경인문화사, 2005.

대구상공회의소, 『국채보상운동사』, 1997.

박용옥, 『한국근대여성운동사연구』, 한국정신문화연구원, 1984.

신용하 편, 『일제경제침략과 국채보상운동』, 아세아문화사, 1994.

최기영, 『애국계몽운동 Ⅱ(문화운동) : 한국독립운동의 역사 13』, 한국독립운동사편찬위원회 · 독립기념관 한국독립운동사연구소, 2009.

조항래, 『국채보상운동사』, 아세아문화사, 2007.

김형목, 「충남지방 국채보상운동의 전개양상과 성격」, 『한국독립운동사연구』 35, 한국독립운동사연구소, 2010.

김형목, 「나라빚은 망국임을 일깨운 선각자, 김광제 · 서상돈」, 『순국』 242, 순국선열유족회, 2011.

박용옥, 「국채보상운동의 발단배경과 여성참여」, 『한국민족운동사연구』 8, 한국민족운동사연구회, 1993.

오두환, 「한말 차관문제의 전개과정」, 『한국민족운동사연구』 8, 한국민족운동사연구회, 1993.

이동언, 「김광제의 생애와 국권회복운동」, 『한국독립운동사연구』 12, 한국독립운
        동사연구소, 1998.
이송희, 「한말 국채보상운동에 관한 일연구」, 『이대사원』 15, 이화사학회, 1978.
임혜봉, 「국채보상운동과 불교계」, 『일제하 불교계의 항일운동』, 민족사, 2001.
정진석, 「국채보상운동과 언론의 역할」, 『한국민족운동사연구』 8, 한국민족운동사
        연구회, 1993.
조항래, 「국채보상운동」, 『한민족독립운동사』 1, 국사편찬위원회, 1987.
한규무, 「국채보상운동과 한국 개신교계」, 『숭실사학』 26, 숭실사학회, 2011.

한말 김광제의 현실인식과
계몽운동사상 역할

제3장
한말 김광제의 현실인식과 계몽운동사상 역할

1. 머리말

국채보상운동은 1907년 1월 하순 대구광문사 특별회에서 사장 김광제와 부사장 서상돈 등 발의로 시작되었다. 서상돈 발의에 회원들은 만장일치로 찬동하는 등 적극적인 참여를 결의하고 나섰다. 김광제는 발기 연설을 마친 후 당장 실시할 것을 주창하는 동시에 자신의 烟竹과 烟匣을 던져버리고 3개월치 담배값 60전과 특별의연금 10원을 내놓았다. 서상돈도 거금을 내놓는 등 분위기를 고조시켰다. 참석한 회원들의 경쟁적인 의연금 동참은 즉석에서 2천여 원이라는 거금을 모금하기에 이르렀다.[1]

---

[1] 국사편찬위원회, 「국채보상운동」, 『한국독립운동사』 1, 탐구당, 1965, 174쪽 ; 최준, 「국채보상운동과 프레스·캠페인」, 『백산학보』 3, 백산학회, 1967, 517~519쪽 ; 박용옥, 「국채보상운동에의 여성 참여」, 『사총』 12·13, 고려대 사학과, 1968, 623~625쪽.

『대한매일신보』·『황성신문』·『제국신문』·『경향신문』·『만세보』
와『대한자강회월보』등 신속한 보도는 국민운동으로 진전시키는 밑
거름이었다. 노동자·부녀자·기생·어린이는 물론 심지어 걸인·죄
수·도둑 등도 의연금 모금에 적극 동참하였다. 특히 부녀자들은 國債
報償減餐會·減膳會·佩物廢止會를 결성하는 등 스스로 자각에 의하
여 조직적으로 참여하는 등 분위기를 고조시켰다.[2) 여성들 동참에 의
한 체험은 사회적인 존재로서 의미를 인식하는 주요한 계기였다. 나아
가 확대된 교류에 의한 소통은 국채보상운동 등을 비롯한 국권회복운
동을 추동하는 에너지원이었다.

지금까지 연구 결과로 외형상 국채보상운동의 전체적인 윤곽은 상
당 부분 규명되었다. 추진 배경, 전개양상, 참가 계층, 일제의 탄압

"국채보상운동은 1907년 1월 29일(음력 1906년 12월 16일) 대구광문사 특별회에
서 시작되었다."는 사실은 현재까지 학계 통설이다. 당시 발간된 신문·잡지·학
회지 등도 이러한 관점에서 대대적으로 보도하였다(『황성신문』1906년 2월 17일
잡보「大邱廣文社」, 1907년 2월 4일 잡보「文會建議」, 2월 9~20일 광고, 2월
25일 논설「斷烟報國債」;『제국신문』1907년 2월 16일「대구광문사회」;『大韓每
日申報』1907년 2월 21일 잡보「國債一千報三百萬圓償趣旨 大邱廣文社長 金光
濟 徐相敦氏等公函」; 대한자강회,「잡록, 斷烟報國債·國債報償計·大邱廣文社
內 大東廣文會에셔 國債報償趣旨書를 首先發佈홈이 如左ᄒ다」,『대한자강회월
보』9, 57~62쪽). 그런데 동래 상인 조직인 商務會議所에서 먼저 주창하였다는
주장도 있다(김도형,「한말 대구지역 상인층의 동향과 국채보상운동」,『계명사
학』8, 계명사학회, 1997, 270~272쪽). 당시 유통망 구조나 상권 형성 등과 관련하
여 이러한 사실에 주목할 필요가 있다.
2) 박용옥,「국채보상을 위한 여성단체의 조직과 활동」,『1900년대 애국계몽운동』,
한국정신문화연구원, 1984(조항래 편저,『1900년대의 애국계몽운동연구』, 아세
아문화사, 1993에 재수록) ; 박용옥,「국채보상운동의 발단배경과 여성참여」,
『한국민족운동사연구』8, 한국민족운동사연구회, 1993 ; 김형목,「충북지역 국채
보상운동의 지역운동사상 의의」,『한국민족운동사연구』69, 한국민족운동사학
회, 2011, 56쪽.

상황, 성과와 한계성, 역사적인 의의 등에 대한 평가는 대표적인 경우
이다.3) 그런데 지역별 사례는 아직까지 미진한 수준에 머물고 있다.
특히 운동주체에 관한 연구는 거의 불모지나 다름없다. 김광제·서
상돈·李僑·梁起鐸 등 일부 인물만이 부분적으로 언급되거나 연구
되었을 뿐이다. 그나마 국채보상운동과 관련하여 독립적인 결과물은
극소수로 제한되어 있는 현실이다. 이 글은 한말 김광제의 현실인식
과 정세판단, 문화계몽운동 투신 배경과 역할 등을 파악하는 데 중점
을 두었다.

　기존 연구는 그의 현실인식에 기초한 한말 학회활동·교육활동·
출판문화활동 등 다양한 활동에 투신한 배경과 역할을 간과하였다.4)

3) 조항래, 「국채보상운동」, 『한민족독립운동사』 1, 국사편찬위원회, 1987 ; 이상근,
「국채보상운동에 관한 연구」, 『국사관논총』 18, 국사편찬위원회, 1990 ; 신용하,
「애국계몽운동에서 본 국채보상운동」, 『한국민족운동사연구』 8, 한국민족운동
사연구회, 1993 ; 정진석, 「국채보상운동과 언론의 역할」, 『한국민족운동사연
구』 8, 1993 ; 정부기록보존소, 「국채보상운동과 언론·불교계의 항일운동」, 『國
權恢復運動 判決文集』, 1995 ; 대구상공회의소, 『국채보상운동사』, 1997 ; 대구광
역시, 『국채보상운동논문선집』, 1999.
4) 국가보훈처, 「김광제」, 『대한민국 독립유공자공훈록』 1, 1986, 121~122쪽 ; 최종
고, 「한국의 법률가상; 석람 김광제」, 『사법행정』 314~315, 한국사법행정학회,
1987 ; 석람동양자김광제유고집간행위원회(이하 위원회), 「석람 김광제 선생의
생애」, 『독립지사 김광제선생 유고집, 민족해방을 꿈꾸던 선각자』, 대구상공회
의소, 1997 ; 위원회, 「석람 김광제 선생의 생애」, 『독립지사 김광제선생 유고집
(증보판), 민족해방을 꿈꾸던 선각자』, 국채보상100주년기념사업회, 2007 ; 이동
언, 「김광제의 생애와 국권회복운동」, 『한국독립운동사연구』 12, 한국독립운동
사연구소, 1998 ; 이동언, 「대구에서 국채보상운동의 깃발을 세운 김광제」, 『대구
의 문화인물』 1, 대구광역시, 2006 ; 박원실, 「김광제의 생애와 활동」, 충남대석사
학위논문, 1998 ; 『광복회보』 2007년 2월 26일 「이달의 독립운동가, 김광제 서상
돈」 ; 김형목, 「나라빚은 망국임을 일깨운 선각자, 김광제·서상돈」, 『순국』 242,
사단법인순국선열유족회, 2011.

관직생활 등 인생 역정에 대한 사실조차도 밝히지 못했다. 궁극적인
원인은 당시 상황에 대한 인식 부족과 김광제가 남긴 글에 관한 미진
한 분석에서 비롯되었다. 더불어 국채보상운동 전반에 대한 '빈곤한'
문제의식도 지적하지 않을 수 없다. 『독립지사 김광제선생 유고집』
이나 공간된 관보 · 신문 · 잡지 등은 삶의 궤적을 추적할 수 있는 귀
중한 사료임에 틀림없다. 그럼에도 사실상 방치된 채 이를 종합적으
로 활용한 연구는 전무하다.[5] 가장 왕성하게 활동하던 한말에 주목
한 이유도 여기에 있다. 김광제가 꿈꾼 세계를 이해하는 관건은 시대
인식과 그에 따른 정세판단이다. 필자의 1차적인 목적은 현실인식에
의거한 한말 계몽운동사상 역할을 사실적으로 규명하는 데 있다. 국
채보상운동과 관련된 부분은 이미 상당히 밝혀진 만큼 최소한 언급
하고자 한다.

공통적으로 잘못 파악한 부분은 대한협회 직산지회 활동 · 관직 생활 등과
경술국치 이후 만주로 망명하여 일신학교 설립에 의한 민족교육 시행 등이다.
주요 원인은 김홍제를 김광제로 개명한 사실에 대한 안일한 인식과 원문을
확인하지 않는 데에서 파생되었다. 최근 연구는 1910년대 동양자의 경남 마산
에서 출판사 경영과 문예 · 출판활동 등을 규명하였다(박태일, 「마산 근대문학
의 탄생과 『마산문예구락부』」, 『인문논총』 28, 경남대 인문과학연구소, 2011
참조). 이처럼 현재까지 진행된 인물사 연구는 많은 오류와 사실과 부합되지
않는 부분이 적지 않다. 오류 차원을 넘어 지나치게 미화된 사실은 거의 '역사왜
곡'에 가까운 수준이다. 그런 만큼 사료에 대한 보다 정치한 분석과 비판적인
연구자세가 요구된다.

[5] 위원회, 『독립지사 김광제선생 유고집, 민족해방을 꿈꾸던 선각자』, 대구상공회
의소, 1997 ; 위원회, 『유고집(증보판), 민족해방을 꿈꾸던 선각자』, 국채보상100
주년기념사업회, 2007.

2. 생장과정과 관직생활

김광제는 1866년 7월 1일 충남 남포군(현 보령시) 웅천면 평리에서 2
남 중 차남으로 태어났다. 부친은 金商夏, 모친은 풍천 임씨였다. 초명은
弘濟 또는 洪濟이다. 호는 東洋子, 시호는 石藍, 자는 德在였다.[6] 본관은
경주로 이곳에 오랫동안 세거한 재지사족이었다. 그의 17대조인 愚濟公
漢이 癸酉靖亂에 반발하여 남포로 낙향·은거한 이래 후손들은 대대로
이곳에 토착하면서 살아왔다. 시조 金閼智로부터 66대에 해당된다.[7]

그럼에도 유년시절에 관한 사항은 거의 파악할 수 없다. 다만 사숙
이나 가숙에서 전통학문을 수학한 사실은 부분적으로 나타난다.[8] 김
광제가 남긴 시집·저작물이나 상소문 등은 영민함과 학문적인 수준을

---

6) 위원회, 「약력」, 『유고집(증보판)』, 11쪽.
7) 『경주김씨우제공파세보』 참조.
8) 위원회, 「贈故舊」, 『유고집(증보판)』, 107쪽.
   옛날 아동시절 같이 수업받던 일을 추억해 보니
   어찌 오늘 각각 공을 나눌 줄을 알았으리오.
   도리어 젊은 무리를 부끄러워하여 길히 나그네가 되었고
   문득 친구를 부러워하여 충성을 다하고자 하네.
   서리 맞으며 무단에 잠자니 머리털이 얼마나 희여졌으며
   꽃이 문원에서 활짝 피니 자네의 옷깃이 붉어졌네.
   몸이 부귀에 있어서 누가 뜻함이 없으리오
   한 조각 뜬구름이 꿈속을 지나가네.
   이 외에도 을미년에 남긴 『石藍詩集』 「序」의 "우연히 열여섯 나이에 그릇된
   길에 발을 딛었다가 붓을 던지고 무에서 돌아옴에 뜻은 호걸하고 상쾌한데 두었
   으나 얻지 못하고 몸은 방랑에 빠져도 깨달지 못하여 천리의 고향땅을 여러
   해가 되어도 돌아가지 못해서 감히 엄한 스승과 어진 부형의 훈계를 어기고
   유익한 벗과 신용 있는 벗의 책선을 따르지 못했으니"라는 구절에서 청년기
   방황한 모습을 엿볼 수 있다.

가늠할 수 있는 실마리를 제공한다. 특히 1906년 대구광문사에서 발행한 『萬國公法要略』 중간은 국제적인 안목과 더불어 주요한 관심사의 일단을 잘 보여준다.

주지하듯이 이 책은 로렌스(Laurence)의 『Handbook of International Law』를 중국에서 알렌 영(Allen Young, 林樂知) 선교사가 漢譯한 저서이다.[9] 그는 책 발간에 즈음하여 장문에 달하는 서문을 남겼다. 국제법의 중요성에 대한 인식은 문명사회 건설을 위한 가장 기초적인 토대를 구축하는 문제로 귀결되었다. 이외에 師承 관계나 門徒 등에 관한 부분은 역시 실마리조차 거의 찾을 수 없다.

그는 전통학문을 수학한 후 과거에 응시하였으나 처음에 실패한 것으로 보인다.[10] 23세인 1888년 4월에 급제하여 兵曹 效力副尉 龍驤衛 副司勇으로 관계에 진출하였다. 이어 동년 6월에는 宣略將軍 行 龍驤衛 副司果와 通訓大夫 行 訓練院 僉正이 되었다.[11] 이후 1900년 9월 7일자로 정4품 동래경무관에 임명될 때까지 관직생활을 계속하였는지 알 수 없다. 이와 관련하여 己丑年인 1889년 2월 고향에 돌아온 심경은 재야지식인으로서 면모를 보여준다. 곧 관직생활은 그리 오래 지속되지 않았다는 사실을 의미한다.

한 몸이 돌아와서 한 띠풀 여막에 깃들이니
많고 작은 세상 인정이 상쾌함을 깨달은 나머지라.

---

9) 최종고, 「한국의 법률가상, 석람 김광제」, 『사법행정』 314, 101쪽.
10) 김광제, 「科時行過水原」, 『石藍詩集』.
11) 김광제, 「還家憶京城僚友」·「投筆返武」, 『석람시집』.

즐비한 집에는 점점 친척의 말을 전하고
차가운 창가에는 스스로 고인의 책으로 만족하네.
우뢰 소리가 밤에 시끄러우니 강물 소리가 크고
달 그림자가 가을이고자 함에는 나무 그림자가 성그네.
흰 돌 푸른 소나무 산 아래 마을에
고기잡고 나무하는 재미가 다시 어떠한 지.[12]

갈등과 번민 속에서 시작된 유유자적한 고향생활은 오히려 심적인
여유를 수반하였다. 친지들로부터 돌아가는 세상사를 듣고 나름대로
미래에 대한 계획도 세웠다. 멀리 있는 벗들의 방문도 여유로움을 더
하는 기쁨이었다.[13] 또한 각지 명승지 유람과 교류 등은 견문을 넓히
는 중요한 계기였다. 평양·청주·목천과 영호남 등지로 유람은 그의
인생역정과 재야지식인으로서 생활을 어느 정도 파악된다.[14]

본격적인 사회활동은 동학농민전쟁 무렵부터 시작되었다. 동학농민
군을 탄압하는 儒會軍을 조직하여 활동한 사실 등은 이를 반증한다.
"피고 전사과 김홍제"라는 표현은 그가 관직에서 물러난 상황임을 알
수 있다.[15] 일부 기록 중에는 그가 동학농민군에 가담·활동한 것처럼

---

12) 김광제, 「還家吟」, 『석람시집』.
13) 김광제, 「起亭」·「譚開」·「賀才子」·「退任」, 『석람시집』.
14) 김광제, 「贈妓, 平壤」·「過淸州南石橋」·「登公州山城」·「楊洲馬山洗硯日」, 『석
     람시집』.
15) 『고종실록』 34, 건양 1년 10월 17일 ; 『고종실록』 35, 건양 2년 1월 31일 ; 『독립신
     문』 1896년 10월 10일 잡보, 10월 22일 「십월 이십 일일 법부에서」, 1897년 2월
     4일 관보 「이월 일일」 ; 국사편찬위원회, 『東學薰征討人錄』, 『東學亂記錄』,
     620~621쪽 ; 동학농민전쟁백주년기념사업추진위원회, 『동학농민전쟁사료총
     서』 17, 사운연구소, 1996, 320쪽.

서술하였다. 이는 사실과 전혀 부합되지 않는다.[16] 그는 1896년 2월
俄館播遷 직후 李世永·黃載顯·李寬 등과 의병을 일으켰다. 단발령과
을미사변에 분개한 을미 홍주의병이 실패한 후 이들은 재기를 도모하
였다. 남포전투 참여는 시대상황에 대한 대응책이라는 측면에서 시사
하는 바가 적지 않다.[17] 충군애국적인 가문의 전통과 현실인식은 이러

"…(상략)… 忠淸南道 藍浦郡 前同果 被告 金弘濟 年三十一 …(중략)… 被告 金弘
濟는 木是 藍浦郡人으로 京鄕에 出沒ᄒᆞ야 或東徒에도 投出ᄒᆞ고 或他匪徒에도 入
錄ᄒᆞ야 人民을 煽惑ᄒᆞ고 陰曆本年 正月分에 儒會狀頭로 聚黨ᄒᆞ야 藍浦郡에 突入
ᄒᆞ야 官吏를 脅迫ᄒᆞ다가 事敗ᄒᆞᆫ 後에 亡命 上京ᄒᆞ야 前習을 不悛ᄒᆞ고 伏 閣上疏를
謀ᄒᆞ며 做出ᄒᆞ야 京鄕亂民을 嘯聚ᄒᆞ야 消委를 攢斥ᄒᆞ고 內閣에 在ᄒᆞᆫ 官人을 開化
黨이라 稱ᄒᆞ야 勦除ᄒᆞ랴 ᄒᆞ얏고 凶心을 未遂ᄒᆞ야 …(중략)… 被告 金弘濟ᄂᆞᆫ 匪徒
作鬧ᄒᆞᆫ 罪로 論ᄒᆞ면 訴訟編口稱奏訴直入衙門夾制官吏者律에 處ᄒᆞᆯ만ᄒᆞ고 內閣人
員을 勦除ᄒᆞ라ᄂᆞᆫ 罪로 論ᄒᆞ면 人命編某殺人條斯而已行未曾傷人者律에 處ᄒᆞᆯ만ᄒᆞ
고 …(중략)… 被告 金弘濟ᄂᆞᆫ 杖一百 流三千里에 照ᄒᆞ야 懲役處斷例 第一條에
依ᄒᆞ야 笞一百 懲役終身에 處ᄒᆞ노라(『관보』457호, 건양원년 10월 20일). 같은
내용이 『독립신문』 1896년 10월 15일 잡보 「고등ᄌᆡ판쇼 션교셔」에도 보도되었다.
[16] 김광제, 「次原韻」·「見招討營從事官差帖屢辭不得故自嘆」, 『석람시집』.
[17] 이승희, 「李世永傳」, 『韓溪遺稿』 七, 224쪽 ; 송상도, 「李世永」, 『기려수필』, 국사
편찬위원회, 1955 ; 홍양사출판위원회, 「李世永」, 『洪陽史』, 1969, 21쪽 ; 김상기,
『을미의병연구』, 일조각, 1997, 216쪽 ; 황의천, 「보령 황재현·백낙관의 위정척
사운동」, 『보령문화』 9, 보령문화원, 2000.
다음은 의병운동에 참여한 당시를 회고한 시로써 그의 심정을 어느 정도 헤아릴
수 있다(김광제, 「不得已動兵出陣舒川城」·「用兵, 卽用人也」, 『석람시집』 참
조). 다음은 『석람시집』에 수록된 「心陣」이다.
"칼을 두드리고 창을 잡아 몇 사람이나 노래했던고
마음에 군사를 움직임에는 작고 많은 것을 따르하네.
복병과 의병 대오를 나누어 모두 나에게 응하고
생사의 문을 베풀어 먼저 타인을 헤아리네.
장군 깃발이 천리에 펴지니 가을 해를 가리고
큰 북이 한 번 소리남에 바다의 파도가 진동하네.
위엄으로써 보여주어 지혜를 좇아서 싸우니
의리에 손상함이 없으니 저가 능히 어찌하리오."

한 입장을 견지하는 요인이었다.

명성황후 시해사건을 전후로 일어난 의병에 대한 찬사는 동양자의 의병에 대한 인식을 보여주는 부분으로 주목된다.

> 패배하여 흩어진 남은 군사가 배에 가득차지 않으니
> 한강나루 오늘에야 내 마음이 슬프도다.
> 동쪽으로 오는 소식 어찌 그리 흉악한고
> 서쪽으로 건너간 남아는 다시 가련하도다.
> 한 칼로 맹세함에 백일을 다투고
> 백년에 한을 두어 靑天을 머리에 이네.[18]

간교한 일제가 저지른 극악무도한 패륜행위는 그에게 결코 용인할 수 없는 죄악이었다. 그럼에도 을미의병에 직접 참여하지 못한 스스로를 자책하고 있었다. 얼마 후 尹履炳·李世鎭 등과 함께 변혁운동을 도모한 사실은 이와 무관하지 않았다.[19] 그는 告變事件으로 杖 100도에 2년간 유배형을 선고받아 전남 지도군 고군산도로 유배되었다. 특별사면으로 그와 동지들은 이듬해 2월 유배형에서 해금되기에 이르렀

18) 김광제, 「漢津吟」, 『석람시집』.
19) 『관보』 467호, 건양원년 10월 29일 ; 정교, 「건양원년 9월조」, 『大韓季年史』, 국사편찬위원회, 1957, 114~146쪽 ; 국사편찬위원회, 「施政一班 등 보고 / 報告第13號(1896년 10월 15일)」·「施政一班 등 보고 / 報告 제14호(1896년 10월 31일)」, 『주한일본공사관기록』 11 ; 국사편찬위원회, 「施政一班 등 보고(1896년 10월 31일)」·「宮廷錄事·任免一束·雜件 / 報告 제21호, 제31호(京城領事), 제32호(仁川領事), 제33호(釜山領事), 제34호(元山領事) : 1897년 2월 18일」, 『주한일본공사관기록』 12.

다.[20] 어수선한 시대상황은 충군애국에 입각한 유회군·의병운동 가
담과 동시에 새로운 사회를 건설하려는 변혁운동을 모색하는 계기로
작용했다. 이는 시세변화에 부응하여 새로운 국가정체를 구상한 점에
서 중요한 의미를 지닌다.

1901년 1월에는 동래경무관에서 면직되는 등 관직생활은 그리 평탄
하지 않았다. 1900년 9월 임명된 이래 약 5개월 동안 직무를 충실하게
수행하였다.[21] 규장각 소장된『東萊監理各面署報告書』이나『訓令照會
存案』등은 동래경무관으로서 활약상을 부분적이나마 보여준다. 당시
동래감리는 南鱗熙, 내장원경은 李容翊이었다. 그런데 동래경무관으로
재직 중 상권 분쟁을 둘러싼 갈등 문제로 警部에 피착되는 등 우여곡
절을 겪기도 했다.[22]

비리에 대한 무혐의로 석방된 그는 동년 5월에 三南察里使(일부에는
兩南視察使로 나오는 경우도 있음)로 임명되었다. 내부는 경상도와 전
라도에 훈령을 내려 別詞探으로서 그의 업무를 수행하는 데 지원하라고
지시하였다.[23] 별형탐 임무는 이반된 민심을 수습하는 동시에 공직기강

20)『各部指令存案』규장각#17750「智島郡 古羣山 流3年罪人 李世鎭, 流2年罪人
尹履炳, 金弘濟를 모두 석방하라는 조칙이 내렸다는 指令」.
21)『황성신문』1900년 9월 14일 관보「叙任及辭令」.
동래경무관 사임 시기는 1905년 을사늑약 직후로 파악하였다(위원회,「약력」,
『유고집(증보판)』, 11쪽). 본문에 언급된 바처럼, 그는 1900년 9월 임명되어 이듬
해 1월에 사면되었다. 정치기강 문란에 따른 지배체제 이완은 빈번한 지방관
교체로 이어지는 등 많은 문제를 야기하고 있었다.
22)『관보』1784호, 광무5년 1월 15일 :『관보』1815호, 광무5년 2월 10일 ;『관보』
호외, 건양2년 2월 1일 ;『황성신문』1901년 1월 15일 잡보「三氏任免」, 1월
16일 잡보「不飭之罪」; 위원회,「약력」·「通政大夫秘書院丞石藍金公獨立運動
功績碑銘」·「石藍金光濟先生事蹟案內懸板」,『유고집(증보판)』, 11·94·96쪽.

확립을 통한 사회적인 안정을 도모하는 데 있었다. 당시 호남과 영남은 불법적인 수탈과 화적 등이 횡행하는 등 불안정한 상황이었다.[24] 그는 직무 수행 중 이권 개입이나 불법적인 행위를 자행한 지방관리에 대하여 엄단하는 등 공직자로서 위엄을 지켰다. 강직한 활동은 오히려 지방관의 반발을 초래하는 등 스스로를 곤경에 처하는 요인으로 작용했다.

> 日昨에 昌原監理가 察理使 金弘濟氏를 捉囚ㅎ랴 혼다고 內部에 電報홈은 前報에 記ㅎ얏거니와 內部에셔 慶南觀察에게 電飭ㅎ되 金弘濟가 若有作弊어던 詳探馳報ㅎ야 事當招還이니 不必捉囚홀 것이오 康瑢九는 初非視察이라 ㅎ얏더라.[25]

이러한 분위기는 작폐 전반에 대한 감사가 강화될수록 더욱 커다란 반발을 초래하였다. 심지어 불법적인 수탈이 자행된다는 악의적인 보고도 적지 않았다. 지방관은 감찰활동을 의도적으로 방해하는 등 원만한 업무 수행조차도 제대로 할 수 없는 지경에 처하였다.[26] 정치기강 문란에 따

---

23) 『승정원일기』고종 37년 12월「전 동래항경무관 김홍제에 대해 징계를 사면하였다」; 황현,「광무5년 신축조」,『梅泉野錄』3 ;『황성신문』1901년 6월 5일 잡보 「察理視察의 發程」, 7월 12일 잡보「協助別祠」, 7월 16일 잡보「電請移囚」, 7월 22일 잡보「孰是孰非」.

24) 『황성신문』1901년 7월 25일 잡보「設巡請費」, 11월 13일 잡보「火賊殺傷」; 『관보』1892호, 광무5년 5월 21일 ;『관보』2105호, 광무6년 1월 24일.

25) 『황성신문』1901년 7월 26일 잡보「視察之弊」.

26) 『황성신문』1901년 7월 25일 잡보「聞者齒冷」, 7월 30일 잡보「電陳使弊」, 8월 3일 잡보「察理之弊」, 8월 14일 잡보「察察不察」, 8월 26일 잡보「招還視察」. "慶南觀察使가 察理使 金弘濟의 作弊與賊錢을 論報ㅎ얏는되 巨濟鄕長 玉規煥과 戶長 李基泳을 杖囚郡獄ㅎ며 村民 姜子成 宋式亨 等을 推捉ㅎ야 葉錢 一千九百兩과 七百標를 勒捧ㅎ얏고 三嘉郡民 李有實의 八十老父를 結縛捉去ㅎ야

른 불법행위 근절을 위한 대책은 의지와 달리 별다른 성과를 거두기에
역부족이었다. 김광제가 적발한 조세 포탈이나 금전 횡령죄로 구속한 범
법자도 감찰기간이 지난 후 모두 방면되었다.[27] 이는 자신의 능력 한계
를 절감시키는 동시에 관직에 대한 미련을 버리는 요인 중 하나였다고
생각된다. 이후 1903년 6월 정3품으로 승차되었을 뿐이었다.[28] 공직자로
서 생활을 그만두고 경제적인 자립을 도모하는 공제소 운영 등에 매진하
였다. 재야지식인이자 활동가로서 활동은 현실인식 심화로 귀결되었다.

3. 현실인식과 정세판단

을사늑약 체결에 즈음하여 상소문을 올릴 당시까지 동양자의 현실
인식은 충군애국적인 입장에서 크게 벗어나지 않았다. 물론 근왕적인

一百五兩을 奪取ᄒᆞ얏고 慶北視察 康瑢九가 金察理의 從人 李範佑 黃甲秀를 捉
送本府ᄒᆞ얏고 雲峰民 徐應享은 被捉於從人ᄒᆞ야 費財 四百兩ᄒᆞ고 晋州在囚罪人
富民 鄭龜煥 河載崑 韓泰圭 李景贊과 丹城民 崔甲秀 權道明 等을 捉囚經月이로
되 該員 金弘濟가 實之不問ᄒᆞ고 枉捉無辜ᄒᆞ야 作爲奇貨ᄒᆞ고 所謂 從人은 一經
討財ᄒᆞ면 仍郎逃避ᄒᆞ니 如此之事ᄂᆞᆫ 今古所未聞이라 該員이 今在釜港ᄒᆞ니 電飭
ᄒᆞ야 使之進來本府케 ᄒᆞ고 雖或上京이라도 亦卽下送ᄒᆞ야 此事彼事間에 妥帖케
ᄒᆞ라 ᄒᆞ얏더라"(『황성신문』 1901년 8월 15일 잡보 「請飭察理」 참조).

[27] 『황성신문』 1901년 9월 4일 잡보 「報送視察」.
慶南觀察使 金永悳氏가 內部에 報告ᄒᆞ되 察理使 金弘濟의 所捉諸罪人及從人討索
錢査實次로 該員을 使之進來之意로 已報ᄒᆞ얏더니 指令內에 金已召還ᄒᆞ얏스니 該
捉囚人은 何待該員乎아 旣云無罪則 自本府로 卽爲放釋ᄒᆞ라 ᄒᆞ얏기로 在囚 李景贊
金允執 韓奎泰를 裁判ᄒᆞᆫ則 皆曰罪之有無ᄂᆞᆫ 吾所未知라 有察令飭ᄒᆞ야 在囚而已
라 ᄒᆞ기로 一切 放送ᄒᆞ얏더라(『황성신문』 1901년 10월 1일 잡보 「放釋無罪」 참조).
[28] 『황성신문』 1903년 6월 25일 관보 「敍任及辭令」.

입장에 매몰된 수구적인 인물은 더더욱 아니었다. 당시 선진적인 관료처럼 전통적인 인식과 근대적인 사유가 공존하고 있었다.

중추원 의관 李鶴圭는 号牌法 제정을 통한 사회안정책을 강구하는 상소문을 올렸다. 이에 대하여 동양자는 号標를 인쇄하여 사람들에게 한 장씩 출급하면, 시행상 편리함과 동시에 국고 수입도 풍부하다는 의견을 개진하였다.[29] 이는 민중생활에 대한 간편함을 도모하는 가운데 상부상조의 분위기를 조성하려는 의도였다. 동래경무관과 삼남시찰사로서 경험은 이러한 인식을 배태할 수 있는 원동력이었다. 현장경험은 민중에 대한 무한한 신뢰감으로 배가되었다. 3·1운동 이후 노동운동에 투신한 배경도 이와 무관하지 않았다.

1902년 11월 전참봉 鄭薰謨, 전사과 沈相禧, 전위원 尹埔, 전교원 李憲, 전주사 韓承履·鄭寅寬, 유학 曹淇煥 등과 明成皇后永世感慕碑 건립을 추진하였다. 이들은 전국 유생들에게 통문을 돌리는 등 명성왕후 명예회복에 앞장섰다.[30] 국가 권위를 회복하는 가운데 국위를 선양하

---

[29] 『황성신문』 1902년 10월 27일 잡보 「又一便利」.

[30] 『황성신문』 1902년 11월 1일 잡보 「感慕發通」, 11월 29일 잡보 「紳士發論」. 右通論事伏以臣 而蹈國難不避子 而思母澤不忘 此天地間不永隆之彝倫常性 而奈遭古所無之變爰創今始有之擧 嗚呼 豈是得已也哉 薪膽非與於復雪指之則 爲誓羹墻非與於追慕托之則 爲感瀝血 而特書縣衆目 而常在一片之石得 以扶萬古綱常則 天道無不復之理人事有可爲之時 鄙等雖無似惟有胸裡之一部 春秋以感慕不忘之意 營竪一碑 而如其事力則 與詢謀諸員 不嫌艸率各自捐義出力 期欲竣工必 不請助於各家與各道者 欲以安明成皇后在天之靈 欲以免天下后世之嘲 惟我同志旣同復讎之義 又共刻石之盟不計些少依厥初約必 以來正晦內一一收合 以爲竣事之地 幸甚.
前參奉 鄭薰謨 前警務官 金弘濟 前司果 沈相禧 前議官 李洛用 主事 朴喜明 前主事 韓奎錫 幼學 李相天 幼學 黃斗顯 等(『황성신문』 1903년 1월 19일 기사 「感慕碑事務所通文」).

려는 의도는 여기에 고스란히 담겨 있다. 신라 역대 28왕 묘지에 대한
대대적인 정비와 보존방안도 이러한 인식의 소산이었다.

> 慶州 金氏의 先祖廿八王陵寢이 太半頹圮ᄒ고 且多他人之偸塚犯
> 耕ᄒ야 甚至所屬基址를 見奪於人ᄒ야 作一荒原에 行路之人이
> 莫不蹰躇嗟歎ᄒ더니 <u>前警務官 金弘濟氏</u>가 獨爲奔訴於掌禮院及
> 平理院ᄒ야 以指以訓으로 自備費用ᄒ고 今則 掘移他塚ᄒ며 還
> 推基址ᄒ얏다더라.31)

　　장단군에 소재한 경순왕릉이 주민들의 무지함과 무분별한 개간으로
퇴락한 사실에 분노한 심정도 토로하였다. 이는 문중을 중시하는 의식
과 무관하지 않지만, 궁극적인 의도는 국위를 선양하려는 입장이었
다.32) 즉 경주 김씨 후예로서 자긍심과 아울러 귀중한 문화유산 훼손
에 대한 경고 의미를 지닌다. 문화유산에 대한 관심은 이후 대한협회
지회시찰원과 1910년대 문예·출판활동으로 이어졌다. 특히 자주적인
독립의식은 閔泳煥 순국에 대한 찬사에서 찾아볼 수 있다.

> 吾東正氣積 / 우리나라에 올바른 기운이 쌓여
> 生一忠正竹 / 충정이라는 한 대나무가 자라났네.
> 移植幾人强 / 옮겨 심으면서 얼마나 많은 사람이 강해졌나
> 三千萬個竹 / 삼천만 그루의 대나무가 되었네.
> 搔首問蒼天 / 머리를 긁적이며 하늘에 묻노니

31)『황성신문』1903년 5월 7일 잡보「追遠盡誠」.
32)『황성신문』1903년 11월 24일 잡보「收金修陵」.

全甌氣一秋 / 전부 한결 같은 가을 기운일세.
靑靑閔相國 / 푸르고 푸른 민상국(재상)이여
不死獨千秋 / 죽지 않고 홀로 천년토록 영원하리라.[33]

이는 민영환 순국을 통하여 국민에게 애국심을 환기시키려는 의도
였다. 더불어 심각한 위기상황에 직면한 현실을 알리려는 목적도 내포
하고 있었다. "죽지 않고 홀로 천년토록 영원하리라"라는 구절에서 민
족선각자로서 민영환 위상을 다시 한 번 강조하였다.

그는 일제의 경제적인 침략상을 심각하게 인식했다. 경제적인 예속
은 결국 독립국가로서 위상을 일시에 붕괴시키는 요인으로 보았기 때
문이다.

> 前警務官 金弘濟氏가 外部大臣에게 長書흔 槩意를 聞흔則 各港
> 口租界外田畓家屋을 外國人에게 無難許賣ㅎ되 官不知禁샌더러
> 爲官吏者ㅣ 勒買民土ㅎ야 轉賣外人ㅎ니 特派人員ㅎ야 巡査各港
> 附近ㅎ야 賣主及居間人姓名을 探得ㅎ야 別般 嚴懲ㅎ고 照會于
> 該公舘ㅎ야 一依章 程ㅎ고 租界外地段을 不得私相賣買케ㅎ라
> ㅎ얏더라.[34]

각 항구 조계지를 벗어난 전답이나 가옥을 외국인에게 절대 매매하
지 못하도록 엄금할 것을 외부대신에게 건의하는 장서를 올렸다. 당시

---

33) 김광제, 「閔忠正公血竹」, 『대한자강회월보』 3, 1906, 32쪽 ; 김정규, 『龍淵金鼎奎
   日記 : 한국독립운동사자료총서 8』 중, 한국독립운동사연구소, 1994, 277쪽.
34) 『황성신문』 1902년 11월 11일 잡보 「金氏長書」.

관리 중 일부는 이러한 분위기에 편승하여 사리사욕을 추구하는 데 급급한 실정이었다.[35] 이는 외국자본 침투에 따른 국내 자본의 위축에 대한 경계심을 고취하려는 의도였다. 제일은행권 유통에 대한 반발과 저항은 이러한 인식에서 비롯되었다. 직접적인 피해당사자인 상인층은 외부에 호소하는 한편 철시를 불사할 만큼 심각한 상황이었다.[36]

특히 共濟所 조직은 국채보상운동과 관련하여 중요한 의미를 지닌다. 전판사 尹履炳, 전군수 李圭恒, 전의관 宋秀晚·沈相禧, 유학 李相喆, 전의관 鄭應㦸·鄭衡基·金璉植, 전참봉 高石柱 등과 협력하여 이를 조직하였다. 임원진은 소장 윤이병, 부장 이규항, 총무 송수만, 그는 심상희·이상철 등과 부총무를 맡았다. 주무는 정응설·정형기·김건식·고석주 등이었다. 목적은 "夫財者 國之血脉 人之生命不可委人 操縱華商同順泰票 日人銀行券 只是一片空紙也. 以無窮之人造取 我有限之天産 其將盡我三千里內 并其所有之物 而尙有不足之慮言念 及此寧不痛悗 本年 正月 鄙等瀝血爲文通告國中 斷勿通行之意丁寧 反復盖明知 其病國害民 猶復犯用者決不可待之 以我韓臣子而 近聞京鄕各商店 有潛自與受之說故 鄙等不勝驚悮疾聲長號 大會國人署名一紙 以死自誓已 自京各廛各客主各中 商與行商坐賈一切不用故"[37]이었다. 즉 일본 제일은

35) 『황성신문』 1903년 2월 5일 잡보 「漢城判尹告示」, 2월 9일 잡보 「日照脅迫」, 2월 12일 잡보 「病未安決」, 2월 14일 잡보 「繳還文狀」, 2월 26일 논설 「開民明法然後保守國權」.

36) 『황성신문』 1903년 2월 9일 잡보 「諭退商民」, 2월 21일 논설 「商民洞說」.

37) 『황성신문』 1903년 6월 22일 잡보 「共濟所 通文」; 국사편찬위원회, 「第一銀行券의 유통 저지를 위해 漢城 각 要所에 貼付된 通文 寫本(1903년 6월 9일)」·「第一銀行券의 유통 방해 운동에 관한 건(1903년 6월 22일)」, 『주한일본공사관기록』 17.

행권 유통과 청의 동순태상회 진출에 따른 경향 각지 객주·여각 등
상인층 보호에 있었다. 이러한 활동은 송수만 등과 함께 이듬해까지
지속적으로 상권 수호와 자립경제 수립에 매진하였다.[38] 일제는 공식
적으로 항의하는 한편 이들과 중재를 요청할 정도로 민감하게 반응했
다. 대한제국정부는 회유와 탄압을 병행하는 이중적인 태도를 취하는
등 적절하게 대응하지 못하고 있었다.[39]

경제문제에 대한 인식은 국채보상운동을 추진하면서 더욱 확대·심
화되어 나갔다. 심화된 현실인식과 적절한 대응책은 다음에서 찾아볼
수 있다.

> 夫經濟云者는 社會에 千種萬物을 經紀ᄒ고 人生에 月計日用을
> 濟度홈을 謂홈이라. 物은 人을 待ᄒ야 需用의 資를 成ᄒ고 人은
> 物을 逐ᄒ야 欲望의 感이 生ᄒ나니 人與物의 相資相須가 切重焉
> ᄒ며 切緊焉ᄒ야 湏臾도 不可相離홀 者라. …(중략)… 然則 現
> 今文明 各國에 硏究著述ᄒ 經濟界 敎科나 學問에 有志ᄒ야 人道

---

38) 국사편찬위원회, 「第一銀行券의 授受 거절 운동에 관한 건(1903년 8월 13일)」·
「金弘濟 등 第一銀行 一覽拂어음 유통 방해자의 단속 요청 건 / 公文 제144호
(1903년 8월 18일)」, 『주한일본공사관기록』 17.

39) 국사편찬위원회, 「第一銀行 一覽拂어음에 관한 건 / 機密送 제25호(1902년 4월
15일)」·「第一銀行의 1圓券 발행 건 銀行券의 발행 신고(1902년 5월 28일)」·
「第一銀行 어음의 禁斷 이유 해명 / 照覆 제103호(1902년 9월 24일)」·「第一銀行
券의 유통 방해 운동에 관한 건 / 公信 제11호(1903년 6월 22일)」·「宋秀萬과
수 명이 위의 사건을 계속함에 따라 한국 정부에 중지 교섭 요청 / 公信 제14호
(1903년 7월 16일)」, 『주한일본공사관기록』 17 ; 『황성신문』 1903년 2월 14일
잡보 「依票換給」, 2월 16일 논설 「論日本第一銀行券의 關係」, 2월 16일 잡보
「魚氏譴責」, 2월 17일 논설 「警告政府」, 2월 20일 기서, 2월 24일 논설 「讀大阪每
日報有感」.

에 自由活動과 物勢에 競爭盛衰와 物理에 變化諸質을 先得其透
達然後에 經濟의 正義及 功用과 生産의 要素及 堅念과 財政의
方法及 交換과 價値의 權衡及 貴賤과 物類의 貿易及 運輸와 貨
幣의 信用及 通行과 代金의 收益及 利息이며 消費經用과 收入
保險等 關係에 毫分縷析ᄒ야 正當ᄒ 欲望을 到達ᄒ고 豫度ᄒ
計劃을 成收흠을 日經濟家에 實驗實效니라. 大抵 私人經濟ᄂ
個人마다 同然ᄒ야 最小ᄒ 勞力으로 多大ᄒ 成效를 享受ᄒ되
但 業務에 部分만 各殊ᄒ고 社會經濟ᄂ 四種으로 基因ᄒ니 日
合名, 日合資, 日株式, 日株式合資니 衆智衆力을 合同ᄒ야 公共
ᄒ 利益을 經營흠이라. 人界에 産業的 主義가 無ᄒ면 生活이
無路ᄒ고 産業界에 經濟的 實力이 無ᄒ면 生産이 無望홀 거시
니 人於經濟界活動이 若魚之游於江海ᄒ고 獸之捿於山林이니 可
不注意處也아.[40]

경제는 단순한 물건이나 재화 등 물질적인 문제에 국한되지 않는다. 인간과 물질이 상호 교류하면서 인간의 삶을 보다 풍요롭게 하는 중요한 매개체이다. 인간사회 흥망성쇠는 바로 경제문제에 달려있다는 근대 자본주의에 대한 해박한 논리를 전개하였다. 기업은 단순한 이윤추구가 아니라 "衆智衆力을 合同하여 公共한 利益을 經營"이라는 기업의 사회적인 공공성을 강조할 정도로 선견적인 입장을 개진했다. 사회적인 윤리성이 전제될 때에만 기업도 '사회적인 公器'로서 발전할 수 있는 가능성을 제시하였다. 근대적인 기업윤리관은 탁견임에 틀림없다.

한편 개항 이래 일본은 조선에 대한 침략을 한순간마저 중단하지 않

40) 김광제, 「논설, 경제계」, 『대한협회회보』 7, 대한협회, 1908, 23~24쪽.

았다. 친일세력 육성책, 정치 망명자에 대한 환대, 차관공세 강화, 각종 이권 침탈 등은 대표적인 경우이다.[41] 러일전쟁 발발 직후부터 일제는 한국 내정에 노골적인 간섭을 자행하였다. '施政改善'을 빙자한 침략행위는 이른바 을사늑약으로 귀결되었다. 심지어 황실 경호마저 일제 손아귀에 넘어가는 등 독립국가로서 위상은 사실상 상실된 상황이었다.[42] 대한제국은 외교상 국제사회로부터 철저하게 버림받은 '미아'나 다름없었다.

을사늑약을 전후로 친일파는 발호를 거듭하는 등 사회적인 불안을 고조시켰다. 최고 지배층인 대신들마저도 이에 편승하는 등 국가적인 위기감은 점증되었다. 공직기강 문란은 반사적으로 가렴주구와 불법적인 수탈로 이어졌다. 화폐개혁에 따른 물가 상승과 더불어 민중생존권은 절대절명한 상황에 처하는 등 비참한 상황을 연출하고 있었다.[43]

김광제는 우국충정에서 우러나는 심정에 따라 1905년 12월 장문에 달하는 상소문을 올렸다. 여기에는 간절한 여망이 담겨 있는 동시에 상황을 보다 객관적으로 바라본 현실인식을 보여준다.

---

41) 강동진, 「한일합방 이전의 친일파 육성·이용」, 『일제의 한국침략정책사』, 한길사, 1980, 119~141쪽.

42) 이동언, 「김광제의 생애와 국권회복운동」, 『한국독립운동사연구』 12, 126쪽 ; 박연실, 「김광제의 생애와 활동」, 3쪽.
동래경무관 사임은 을사늑약 체결에 따른 외교권 박탈 등 일제의 침략강화에서 원인을 찾았다. 앞에서 언급하였듯이 동래경무관에서 면관된 시점은 이보다 훨씬 앞선 1901년 1월이었다. 1905년 말까지 동양자를 언급할 때 반드시 '전경무관 김홍제'라는 기록은 재야지식인으로서 존재성을 보여준다.

43) 조기준, 「개화기 일제의 경제침략」, 『한국근대사회경제사 연구』, 정음문화사, 1985.

…(상략)… 지금 우리 대한은 어지러워졌는데 바르게 하지 않고 위태로워졌는데 붙들어 주지 않으니 거친 밭과 못쓰게 된 들처럼 된 지가 오래되었습니다. 폐하께서 (국가를) 다스리신 지 40여 년 동안에 위태롭지 않은 날이 없었고, 격변하지 않은 해가 없었습니다. 권력을 쥔 신하와 총애를 받는 벼슬아치들은 뒤를 이어 일어나 폐하의 총명하심을 가리어 놀라움과 근심스러움이 퍼져 오늘에 이르렀습니다.

미친 듯한 물결이 이미 쏟아져 흐르고 들에 놓은 불길 이미 타올라 마침내 삼천리 강토와 오백년 종사를 쉽게도 이웃나라(일본 —필자주)에 고스란히 주게 되었습니다. 저 이웃이란 바로 삼백년에 걸친 원수나라인데 저 이웃나라가 뭇 간악한 자들을 끼고, 뭇 간악한 자들은 저들에 붙은 것은 다시 말할 필요조차도 없습니다. 폐하께서는 뭇 간악한 자들을 사랑·총애·믿으시니 신은 그 어떤 연유인지를 (전혀) 알지 못하겠습니다. 이른바 관리 등용의 임무를 맡았다는 자들이 관직을 팔아먹는데 폐하께서는 오히려 그들을 사랑하시어 쓰시고, 이른바 형법을 담당한 관리는 제멋대로 사사로움을 따르는데 폐하께서는 오히려 그들을 믿으시어 부리고, 총애받는 신하와 뭇 흉악한 무리들이 금방 러시아에 붙었다 금방 일본에 붙었다 하여, 마침내 外禍를 초래하고 가렴주구하고 탐학한 무리들이 나라 안을 좀 먹고 나라 밖을 갉아대어 마침내 여러 정무를 어지럽히게 되었습니다. 폐하께서는 오히려 그들을 총애하여 가까이 하시니, 이는 모두 수십 년 내의 이미 싹튼 폐단으로 비록 어리석은 평민들도 오늘의 화를 미리 염려했습니다. 폐하께서는 뛰어난 천고의 성스러운 총명으로 오히려 헤아리실 수 없으셨습니까? …(중략)…

진실로 힘을 헤아리지 않고 일본을 배척하기 보다는 마땅히 해야 할일을 하는 것이 보다 현명한 길입니다. 또한 지혜를 헤아리지 않고 일본에 붙는 것보다는 마땅히 해야 할 도리를 행하는 것이 나을 것입니다. 신의 일컬음은, 마땅히 수행해야 할 것과 마땅히 행할 것은 다른 일이 아닙니다. 저 간악하고 못된 무리들과 나라를 어지럽히고 도리를 해치는 도당, 즉 일본을 배척하면서 화를 배양한 자들과 일본에 붙어 화를 초래한 자들이 모두 오늘의 종사를 망치고 기반을 뒤집는 역신입니다. …(중략)…

저 외세에 의지해 (나라를) 어지럽히고 (도리를) 해치는 무리를 먼저 즉시 죽일 것이니, 특별히 성총을 힘쓰시어 맹렬히 살피시고, 재야의 어진 이를 널리 구하여 일을 맡기고 부리옵소서. (근대-필자주)교육을 널리 시행하는데 힘쓰시고, 법률은 공명정대하게 시행되도록 힘쓰실 것이며, 안으로는 가렴주구 하는 신하를 제거하시고, 밖으로는 탐욕스럽고 모진 관리를 엄히 다스리시면, 나라의 공업이 날로 공고한 데로 나아가고 이웃의 업신여김도 해가 감에 따라 점차 저절로 물러가서 나라는 부유해지고 백성들은 강해질 것입니다. 은혜가 흡족해지고 가르침이 행해지면 몇 년 되지 않아 저들의 업신여김도 보복할 수 있고, 저들의 욕보임도 씻을 수 있고, 저들의 위협도 누를 수 있을 것입니다. …(하략)…[44]

상소문은 일제 식민지화로 전락하는 원인을 가장 적절하게 지적하였다. 지배층의 외세의존적인 자세와 가렴주구는 대한제국을 멸망시키는 요인으로 손꼽았다. 간신배나 아첨꾼을 멀리 하는 동시에 국가기강을 올바르게 바로 잡기 위한 대응책 강구도 강조했다. 그에게 국권

---

44) 위원회, 「상소」, 『유고집(증보판)』, 19~29쪽.

회복을 위한 방안 중 급선무는 광범위한 근대교육 시행에 의한 인재육
성과 엄정한 법 집행으로 귀결되었다. 이반된 민심 수습이 우선적인
긴급한 현안임을 주장하는 등 현실을 직시하고 있었다. 특히 덕육에
중점을 둔 신교육 강조는 이러한 인식을 실천하려는 의지와 무관하지
않았다.

> 南來人에 傳說을 聞ᄒ즉 陰五月二十八日에 達城廣文社(대구광
> 문사—필자주)에서 文會員 五十八人을 會同ᄒ고 社長 金光濟氏
> 가 敎課校正의 對ᄒ야 撰述員에게 聲明ᄒ기를 近者 各學校敎課
> 가 皆以德育智育體育三課로 分ᄒ야 主意를 作ᄒ얏시나 新學文
> 이 每於德育上實地에 有欠ᄒ즉 本社撰述諸員은 四書에 心性情
> 과 仁義禮智ᄂ晳ᄒ 句語中 要緊ᄒ고 深奧ᄒ 文意를 摘取ᄒ야 新
> 學文 德育課에 叅互ᄒ야 中等社會人에나 高等學徒를 敎育ᄒ이
> 最合時宜라고 可否決定ᄒ 後에 撰述員이 各其就所ᄒ야 硏究著
> 述ᄒᄂ 中이라더라.[45]

　근대교육은 지덕체 3육으로 나누어 교육하는데, 근자에 각 학교 교
육실태를 조사한 즉 덕육이 매우 부실하다. 동양자는 이러한 문제를
보완하려는 의도로 사서삼경을 기초하여 덕육 교육 강화를 위한 교과
서 편찬·보급을 모색하였다. 대구광문사 설립에 의한 교양서적이나
교과서 편찬 등 출판활동은 이러한 의도에서 비롯되었다. 왜곡된 근대
교육에 대한 비판은 희박한 국가정신이나 민족의식에서 원인을 찾았

---

45)『황성신문』1906년 7월 26일 잡보「廣文社長注意」.

다. 단재 신채호도 이러한 관점에서 비판적인 입장을 피력하였다.[46]
그는 일부 폐단을 우려하여 근대교육 자체를 중단시켜서 결코 안 된다
는 입장이었다.

> …(상략)… 凡人이 飮食을 由ᄒ야 疾病이 生홈도 許多ᄒᄂ 飮食
> 을 全廢ᄒ면 人이 必死ᄒᄂ니 故로 積滯가 有한 者도 一日를 可
> 히 廢치 못할거슨 飮食이라. 國民의 敎育이 此와 同ᄒ니 苟或 敎
> 育을 憑藉ᄒ야 挾雜ᄒᄂ 者가 有ᄒ더리도 此ᄂ 少部分이라. 萬
> 一 少部을 爲ᄒ야 學部에서 敎育上 일에 근持ᄒ면 其弊害ᄂ 何如
> 홀고. 然則 如干民弊가 有ᄒ더리도 敎育이란 名色만 잇거던 贊成
> 홈이 可ᄒ니 村에ᄂ 村立學校가 有ᄒ되 其村中에서 家家戶戶히
> 出斂ᄒ야 其村에 居ᄒᄂ 義務를 負치 아니홈이 可ᄒ니 各村各坊
> 이 如是ᄒ면 國家의 進運를 可期할지라. 不然이면 國民의 知識이
> 日로 卑劣ᄒ야 文明國人의게 犧牲을 不免ᄒ리라 ᄒ노라.[47]

　요지는 의무교육 시행에 의한 근대교육 보급을 건의하였다. 치열한
생존경쟁시대에 처한 현실에서 적자생존을 위한 구체적인 방안은 광
범위한 근대교육 시행이었다. 이는 문명국가 건설론이나 부국강병책
과 밀접한 연관성을 지닌다. 단순한 지식 전달이 아닌 시세변화에 부
응하는 실용학문에 대한 강조는 이를 반증한다.[48]

---

46) 단재신채호선생기념사업회, 「新敎育과 愛國」, 『단재신채호전집』 하, 형설출판
　　사, 1975, 131~135쪽.

47) 『만세보』 1906년 9월 18일 기서 「達城廣文社長 金光濟氏가 月前에 學部의 長書
　　ᄒ 全文이 如左」.

48) 김광제, 「工業發達이 富强之源」, 『대동보』 2, 대동월보사, 1907.6, 29~31쪽.

상소문에서 언급했던 구구절절한 소망도 수용되기에 너무나 척박한 현실이었다. 오히려 간신배는 이를 왜곡하는 한편 위협을 서슴지 않았다. 결국 그는 지도군 고군산도로 다시 유배를 당하고 말았다. 1896년 10월 이후 2번째 유배도 고군산도였다. 유배된 지 2개월 만에 특별사면을 받아 일상사로 다시 되돌아왔다. 이는 우연보다 너무나 운명 같은 순간이었다. 그는 법부 參事 '제의'를 받았으나 거절하고 부임하지 않았다.[49] 동양자는 관직생활을 통하여 국권회복을 도모하기에 역부족인 현실을 절감하였다. 실천적인 사회활동이 요구되는 순간에 직면했다. 우선적인 과제는 민지계발을 위한 교류와 소통을 위한 사회적인 관계망을 구축하는 데 있었다.

4. 계몽운동사상 역할

1) 근대교육 확산을 위한 대구광문사 조직

김광제는 유배생활이 해제된 직후인 1906년 초에 곧바로 대구로 가서 본격적인 계몽운동에 투신하였다. 교과서·교양서적 발행과 근대교육 보급을 위한 대구광문사(일명 달성광문사―필자주) 조직은 이와 같

---

49) 위원회, 「약력」, 『유고집(증보판)』, 11쪽.
　　그는 유배에서 특별사면을 받아 법부 참사에 임명되었으나 불복했다고 한다. 당시 유배나 특별사면과 법부 참사에 임명된 사실은 『관보』 등에서 전혀 확인할 수 없다. 아마 친분 관계에 있던 동료들이 '제의'한 것이 아닌가 생각된다.

은 의도와 맞물려 추진되었다. 그는 설립인가원을 내부에 제출하는 한
편 활동영역 확대에 노력을 경주했다.

> 大邱居 金光濟氏가 內部에 請願ᄒ되 本人等이 敎課書를 印刷次
> 로 廣文社를 刱設ᄒ고 器機等物을 購入ᄒ야 學徒의 敎育을 開發
> 코져ᄒ오니 特爲認許ᄒ라ᄒ얏더라.50)

동료인 李一雨는 일찍부터 문명사회 건설에 필요한 민지계발을 위
한 時務學校를 설립했다. 학생들 정서함양과 지식 습득에 유용한 국내
외 서적뿐만 아니라 신문·잡지 등도 구매하거나 구독하였다. 토론회
도 정기적으로 개최하는 등 학생들에게 자립심 배양과 시세변화를 각
성시키는 데 앞장섰다.51)

당시 대구부 자치제 시행을 위한 大邱民議所(일명 대구대의소나 경
북대의소-필자주)도 조직되었다. 목적은 민지계발과 민권 부식을 도
모하는 데 있었다. 이를 위한 기초적인 활동은 교육방침 연구와 권면,
법률 범위 이내에서 행동자유 보장, 관리에 대한 질문과 건의, 실업발
달 도모 등이었다.52) 궁극적인 활동은 사회구성원으로 자기 역할을 수
행할 수 있는 사회성 배양에 집중되었다.

동양자의 근대교육 확산을 위한 노력에 대한 찬사는 곧바로 현지 계

---

50) 『황성신문』 1906년 2월 17일 잡보 「大邱廣文社」.
51) 『황성신문』 1905년 2월 1일 잡보 「有志開明」, 3월 24일 논설 「賀學校之鬱興」.
52) 『황성신문』 1906년 6월 1일 잡보 「慶北代議所」; 『大韓每日申報』 1906년 8월
   26일 잡보 「慶尙北道 大邱府民議所長 金光濟氏.의 警告文」.

몽활동가들에 의하여 제기되었다. 대구사립중학교 교감 尹瑛燮과 사
범학교 학감 金容璇 글은 이를 반증한다.

…(상략)… 廣文社長 金光濟와 廣學會員 李一雨等으로 每常於悒
하고 繼或憤罵터니 何幸我 皇上陛下特軫敎育之急務하샤 十行丹
綸이 申複丁寧하시고, 觀察使 申泰休氏가 熱心對揚하야 躬行閭
里에 曉之喩之하며 牒邀志士에 勉之奬之ㅎ니 於是에 列郡이 風
動에 衆情이 翕然하니 大邱城內外 新設已成ㅎ 學校가 爲十四處
오 其餘外村及各郡이 次第修擧하야 槪料二三個月則其盛을 又可
揣矣라. 鄙等之積年鬱仰을 始乃發展하야 與有榮焉을 不覺欣舞
하니. 噫라 此豈鄙等自分上私榮而爲喜哉리오. 世必有公眼所照而
何計惟乖不良之徒가 投書於國民新報社이던지 搆虛捏誣에 肆意
登載하야 指敎育以奸細하고 設學校捐助以消融이라하야 遂使發
憤者沮志하고 出義者懷逌하니 其有妨於學務가 將復何如오 鄙等
이 非爲申使說明이라. 刻骨憤恨이 身親當之이기 衝冒炎熱하고
來質該社則該社도 亦認其誤하고 謝過僕僕이라. 幸借貴社一言之
刊佈하야 以贊全嶺敎育之務를 千萬切望.[53]

김광제는 언론에 대한 깊은 관심과 아울러 중요성을 일찍부터 인식
하고 있었다. 그는 1906년 6월 19일자『대한매일신보』에 당시『國民新
報』를 비난하는 내용의 기사를 실었다.[54] 기자의 글은 치우치거나 사

---

[53] 『황성신문』 1906년 6월 16일 기사.
[54] 『大韓每日申報』1906년 6월 19일 기사「達城廣文社長 金光濟氏의 寄函이 如
左ㅎ니」.

사로움이 없어야 하고 선한 것은 추켜세우는 반면 악한 것은 규탄해야
마땅하다. 경북관찰사 申泰休는 치적이 뛰어난 관료임에도 오히려 一
進會 기관지인 『국민신보』는 이를 도리어 나쁜 것으로 비난하는 왜곡
을 일삼았다. 이는 윤영섭과 김용선으로 하여금 관내 근대교육 보급에
더욱 노력을 경주하는 계기였다.[55] 대구광문사는 경북관찰부와 협력
하여 공립사범학교 설립을 추진하였다. 그는 明達義塾 부교장과 강사
로서 직접 학생들을 가르쳤다.[56]

　광무황제의 「흥학조칙」과 관찰사 신태휴의 「흥학훈령」은 경북지역
사립학교설립운동을 견인하는 계기였다.[57] 김광제 등 대구광문사와
광학회 이일우 등 활동은 이곳 근대교육 활성화에 더욱 박차를 가하는
요인이었다. 도내 근대교육 내실화를 위한 노력도 병행하는 등 분위기
조성에 앞장섰다.

　　治國의 요체는 敎民에 있고, 敎民의 방법은 학교설립에 있는 바,
　　옛 중국의 夏·殷·周 3대 왕조가 융성한 것이나 오늘날 5대주
　　의 부강한 나라는 모두 교육의 발달에 기인하는 것이라. 우리 大
　　韓이 옛부터 교육이 없었던 것이 아니로되, 세풍이 무너지고 학
　　문이 피폐하여 국민은 차츰 우매해졌으며, 정치는 태만해지고
　　교육은 해이해져 국가형세가 점차 어려워져 오늘의 지경에 이르

55) 『大韓每日申報』 1906년 6월 19일 잡보 「贊成校務」.
56) 『大韓每日申報』 1906년 10월 24일 잡보 「達塾讚揚」.
57) 유한철, 「1906년 광무황제의 사립학교 조칙과 문명학교 설립 사례」, 『한국민족운
　　동사연구』, 우송조동걸선생정년기념논총간행위원회, 1997 ; 강윤정, 「신교육 운
　　동」, 『경북독립운동사』 Ⅱ, 경상북도, 2012, 130쪽.

렀음이라. 그럼에도 교육이 급무임을 알지 못하니 어찌 한심하지 않으리오. 항차 우리 경북은 士林의 淵藪인 바, 서원철폐 이후로는 학문의 고장이라는 명성이 사라진지 오래라. 우리가 無學淺識으로 오직 세상을 개탄하는 마음과 우국의 정성으로 학교를 세울 방책에 망념하오니, 학교라는 것은 귀한 장소에 넓게 설치하여 인재를 교육하는 곳이라. 경북관찰부 아래에 있는 樂育齋와 養士齋에 사립보통학교를 설치하옵고, 교사는 외국의 고등학문을 한 사람으로 고용하오며 교장은 金光濟로 정하였으며 각 군에 소학교를 설치하여 졸업 후에 진학토록 한다면 敎民育材의 길이 될 것이라. 위로는 교육에 公費가 들지 않으며, 밑으로는 스스로 배워 교육은 날로 확장되고 학문은 날로 흥할 것이니, 이 어찌 인재 양성의 기본이 아니리오.[58]

대구광문사는 도내 각 군에 사립소학교와 대구에 중등과정의 사립보통학교를 설립한다는 종합적인 교육계획안을 마련했다. 동양자는 직접 도내 유지신사에게 「권학문」을 발송함으로써 새로운 변화를 불러 일으켰다.[59]

광무황제는 이러한 교육운동을 지원하기 위하여 특별하사금 1천 원과 함께 「교육칙유」를 내렸다.[60] 이와 같은 여건 변화는 활동영역 확

---

58) 『大韓每日申報』 1906년 2월 7일 잡보 「特獎嶺學」.
   김광제가 각 군 유지제씨에게 보낸 「권학문」도 이와 유사한 내용을 포함하고 있었다. 경북관찰사 신태휴 등과 제휴는 대구광문사 활동영역을 확대할 수 있는 주요한 기반이었다(『황성신문』 1906년 3월 29일 광고).
59) 『황성신문』 1906년 9월 1일 잡보 「廣長勸學文」.
60) 『大韓每日申報』 1906년 6월 19일 기서 「達城廣文社社長 金光濟氏의 寄函이 如左호니」.

대로 이어지는 계기였다.

> 大邱廣文社文會 目的은 興學設校인딕 官吏와 人民이 愚昧ᄒ야
> 勸勉은 始捨ᄒ고 反多抵携ᄒ야 終難擴張이러니 自强會長 尹致
> 昊氏의 義務敎育建議와 輔國 閔泳徽氏의 疏本을 見ᄒ고 冀其不
> 日 實施ᄒ다가 政府奏本에 事係重大ᄒ니 有難實施라 홈을 更聞
> ᄒ고 該社文會員 數十人이 急速 實施케 ᄒ기로 政府에 建議혼다
> 더라.61)

 이는 대한자강회 의무교육 실시에 즈음한 도내 의무교육 시행에 대
한 계획이었다. 윤치호·민영휘 등 교육활동은 대구광문사문회 회원들
을 크게 자극시켰다.62) 사범학교 설립도 이와 같은 원대한 계획을 실
행하려는 일환으로 추진되었다. 조직된 지 약 1년 만에 大東廣文會로
명칭 변경과 임원진 개선 등은 이를 반증한다.63) 신문 발간계획은 이
러한 계획을 원만하게 추진하려는 의도와 맞물려 있었다. 임원진은 이
를 농부에 청원하여 승인까지 받았다.64)
 이러한 과정에서 일부 유림들 반발도 적지 않았다. 그는 이들을 說
諭하는 한편 대동광문회 지회를 설립하기 위한 일환으로 직접 각지를
순회하였다.

---

61) 『황성신문』 1907년 2월 4일 잡보 「文會建議」.
62) 『황성신문』 1907년 2월 22일 잡보 「廣會建議」.
63) 『황성신문』 1907년 2월 9~20일 광고.
64) 『大韓每日申報』 1906년 6월 2일 잡보 「新聞承認」.

…(상략)… 各郡에 周遊ᄒ며 各社會와 學校의 主旨를 條條이 說
明ᄒ야 婦女와 兒童이라도 解得케한則 前日에 守舊ᄒ든 人士가
況然大覺ᄒ야 相議ᄒ고 各郡人士를 一心鼓動ᄒ야 文會를 完成
케ᄒ고 講論하며 研究ᄒ기를 決心ᄒ야 警 勸ᄒᄂ 公函을 翻謄
相通ᄒ야 該會에 入參ᄒ 人이 五百三十八人인디 本月 十五日 通
常會에 多數히 參席ᄒ야 開會規則을 爛商ᄒ얏ᄂ디 金氏의 勸勉
ᄒᄂ 것과 諸人의 感發ᄒᄂ 誠意를 人皆欽歎혼다더라.[65]

동양자 노력은 도내 대동광문회 회원을 다수 확보하는 결정적인 계
기였다. 회원이 538명에 달한다는 사실은 열성적인 활동상을 어느 정
도 추측할 수 있는 부분이다.

2) 정치·사회활동과 학회 참여

대한자강회는 1906년 4월에 張志淵·尹孝定·沈宜性·金相範·林珍
洙 등에 의하여 조직한 정치사회단체였다. 교육진흥과 殖産興業을 표방
하였으나 궁극적인 목적은 실력양성을 통한 자주적인 독립국가의 기초
를 마련하는 데 있었다. 임원진은 회장 1명, 부회장 1명, 평의원 20명,
회의 사무를 집행하는 간사원 20명, 그밖에 법률과 정치에 능통한 일본
인 1명을 고문 등이었다. 1906년 4월 임시회에서는 임원진으로 회장 尹
致昊, 고문 大垣丈夫, 평의원과 간사원은 각각 10명씩 선임했다.

동양자도 1906년 대한자강회 회원으로 가입·활동하였다.[66] 대구광

65) 『만세보』 1907년 1월 18일 잡보 「嶺南漸開」.

문사 사장으로 취임한 관계로 활동상은 거의 보이지 않는다. 앞에서
언급한 「민충정공혈죽」 투고와 「국채보상에 관한 의안」 제출 등 2건
에 불과하였다. 현지 열성적인 활동은 대한자강회 취지에 공감하는 가
운데 상호 간 정보를 교환하는 등 교류 확대에 노력을 기울였다.[67] 의
무교육론 제기에 호응한 경북 도내 의무교육 시행을 위한 계획은 이를
반증한다. 또한 大東文友會 발기인으로 참여하는 한편 발기회에서는
취지를 널리 홍보하였다. 순회강연회나 연설회에서도 근대교육 보급
을 위한 방안을 제시할 정도로 매우 열성적이었다.[68] 대한자강회 해산
에 즈음한 기고문은 그의 기대감과 인적 유대관계를 어느 정도 추론할
수 있다. 회원으로서 직접적인 활동을 내세우기보다 공통적인 목적을
달성하려는 의도가 엿보인다.[69]

대한협회는 權東鎭·南宮濬·呂炳鉉·柳瑾·吳世昌·尹孝定·張志
淵·鄭雲復·洪弼周 등이 1907년 11월 17일 관인구락부에서 창립총회
를 개최함으로써 조직되었다. 동양자는 창립 초기부터 열성적인 활동
을 전개하였다. 전북 전주·군산·임실·부안·김제·금구·함열과 전
남 광주·목포·지도 등 호남지역 시찰원으로서 선정·파견되었다.[70]
각 지회를 순회하면서 행한 강연은 현지인들로부터 열렬한 찬사를 받
았다. 대한협회 호남지역 시찰원으로서 그의 활동은 대단한 성황을 이

---

66) 편집부, 「회원명부」, 『대한자강회월보』 2, 1906, 72~74쪽 ; 이종준, 「본회회보」,
　　『대한자강회월보』 9, 1907.3, 46쪽.
67) 『만세보』 1906년 9월 9일 잡보 「金氏有志」.
68) 『만세보』 1907년 3월 26일 잡보 「文友會趣旨」, 3월 30일 잡보 「文友會演說」.
69) 석람 김광제, 「歎自彊會解散說」, 『대동보』 4, 1907, 8~9쪽.
70) 『황성신문』 1908년 7월 31일 잡보 「視察과 勸殷員」.

루었다. 그곳에 설립인가된 지회 대다수는 사실상 그의 영향에 의하여
설립되었다고 해도 과언이 아닐 정도였다. 다음은 명연설가로서 면모
를 보여주는 부분이다.

> …(상략)… 其隣近 郡에셔 漸次請邀ㅎ야 演說會를 或設於學校ㅎ
> 고 或設於民會所而金氏가 演說혼 郡里는 擧皆支會發起되얏는디
> 扶安興德井邑古阜萬頃咸悅 六處 支會가 一時에 成立되야 請願書
> 와 報告書가 次第로 本會에 倒着하얏스며 全羅北道人士들이 社
> 會에 趣旨와 前道에 進就를 今始大覺하깃다고 社會敎育之議가
> 處處大發하야 文明風潮가 湖南一帶에 鼓動혼다더라.[71]

　그의 연설에 감동을 받은 전북지역 인사들은 사립학교를 설립하거
나 민회를 조직하는 등 시세변화에 적극적으로 부응하는 분위기였다.
부안지회 시찰시 행한 연제는 「六派의 習慣을 劈破然後에 可以自保」
였다. 주요 내용은 다음과 같다.

> …(상략)… 演題의 六派란 者는 曰渾沌, 爲我 嗚呼 笑罵 暴棄 待
> 時者流의 六派니 此六派의 習慣으로 家國과 人種이 必乃滅亡ㅎ
> 리라는 言論이 非我硏究라. 淸國에 文章이오 英雄으로 擅名ㅎ는
> 任公先生 梁啓超의 積年 演述혼 達論이라. 余觀此書ㅎ고 回想我
> 韓情形則果無一毫之差라. 韓淸이 其同然乎ㅣ뎌 此六派之習慣을
> 合力劈破혼 後에야 自保ㅎ깃기로 其弊害됨을 條陳홀지니 精神
> 을 洒勵ㅎ고 靜聽ㅎ시오. 所謂 渾沌派는 卽 無腦 無筋 無骨 無

71) 『황성신문』 1908년 9월 2일 잡보 「協會風潮」.

精흔 一動物이라. 不知恥辱 不知疾病ㅎ야 如釜中游魚가 自以謂
春江暖水라 ㅎ며 堂上火燕이 自以謂日光照屋이라 ㅎ니 是派之
弊害가 固何如여…(중략)…六派의 習慣을 劈破ㅎ야 自保홀 方針
이 其果難乎哉아. 曰非難也라. 吾儒의 學術이 失道ㅎ고 政府의
制治가 失宜ㅎ고 人民이 義務를 不踐혼 所以然이라. 若以數件事
로 實施則六弊가 自除ㅎ리니 願使各家靑年으로 盡入於學校ㅎ고
且 吾四十歲 以上人은 盡歸於社會敎育ㅎ되 蓋我大韓協會는 卽
敎育殖産保護政治等事로 爲綱領則復權自保之機關也라.…(중략)…
西勢東漸之患을 協力 防禦ㅎ자는 義務인즉 我韓士流가 六派의 習
慣으로 一向行動ㅎ면 疆土와 權利를 他人에게 見奪홀지니 此非他
人之强奪이라. 卽我國人之自棄也라. 誰怨誰咎乎아 如到失敗면 非
但 爲亡國之民이라. 雖歸泉臺라도 鬼亦爲亡國之鬼라. 生死難容ㅎ
리니 期於히 社會敎育으로 自保之策을 圖謀ㅎ읍세다.[72]

이른바 6파는 渾沌派·爲我派·嗚呼派·笑罵派·暴棄派·待時者派
등을 지칭한다. 이는 사회나 국가 발전에 커다란 장애물임에 틀림없
다. 이를 타파하는 첩경은 오직 근대교육에서 찾을 수 있을 뿐이다. 청
년은 학교에서, 성인은 사회교육을 통하여 이러한 폐습을 제거함으로
써 국가 발전이나 문명사회를 만들 수 있다는 논리이다. 이를 추진하
는 중심기관은 바로 대한협회라고 강조하였다. "大韓協會는 卽敎育 殖
産 保護政治 等事로 爲綱領則 復權自保之機關也라."라는 사실은 이를
반증한다.

---

[72] 김광제, 「六派의 習慣을 劈破然後에 可以自保」, 『대한협회회보』 6, 대한협회,
1908, 73~75쪽.

군산노동총회도 그를 청격하여 「國家에 興替는 社會에 關係오 社會에 進就는 熱誠에 所致」라는 주제 강연을 들었다. 청중은 700여 명에 달하는 등 대성황을 이루었다.[73] 그의 명망성과 웅변가로서 위상은 이러한 가운데 널리 회자되었다. 강연회나 시찰은 어쩌면 자신의 이상을 다시 한 번 확인하는 현장이었는지도 모른다. 열성과 확신에 찬 강연은 청중들 마음을 사로잡는 계기이자 지역사회 계몽운동 활성화로 귀결되었다. 김광제는 기관지인『대한협회회보』에 많은 글을 투고하였다. 「國家之寶」,[74] 「經濟界」(『대한협회회보』 7호), 「和平과 安樂의 原由」,[75] 「단체적 행동」[76] 등은 대표적인 글이다.

한편 경북 선산군 彰善學校는 1908년 6월 유지신사 張志明·李愚稷·金相基·金胤亨·朴珉煥·李潤玉·金泓直 등에 의하여 설립되었다. 이들의 열성적인 활동에 주민들은 칭송과 아울러 지원에 나섰다. 개교식에 즈음하여 발기인 沈相健·李相宇 등은 대한협회에 공함을 보내어 그를 연사로 초청했다.[77] 그의 연설을 경청하고자 인근 각지 인사가 운집하였다.『황성신문』은 당시 상황을 다음과 같이 보도했다.

> …(상략)… 金氏가 該校에 到ᄒ즉 學生이 八十餘人이오, 來賓及傍聽이 合爲一千三百餘人이라. 金氏가 以學術의 古今異同과 人民의 義務와 婦人에 感覺이란 三問題로 長時間을 演說ᄒᄂᄃᆡ,

73)『황성신문』1908년 9월 2일 잡보「演說에 效力」.
74) 김광제,「國家之寶」,『대한협회회보』4, 1908, 21~23쪽.
75) 김광제,「和平과 安樂의 原由」,『대한협회회보』10, 1909, 12~13쪽.
76) 김광제,「단체적 행동」,『대한협회회보』11, 1909, 58~60쪽.
77)『황성신문』1908년 6월 6일 잡보「彰善設校」, 6월 12일 잡보「彰善開校」.

或放聲而哭者도 有ㅎ고 或勇氣中冲激者도 有ㅎ야 博手喝采의
聲이 喧動一郡이라. 曾往에 學校를 反對ㅎ던 者와 誤論ㅎ던 者
가 一體和同ㅎ야 該校를 擴張ㅎ기로 一致決心ㅎ고 且大韓協會
支會도 發起ㅎ다더라.78)

「학술의 古今異同」·「인민의 義務」·「婦人에 感覺」을 주제로 한 장
시간 연설에 학생은 물론 1,300여 내빈과 방청객은 모두 감화되었다.
근대교육에 반대하던 인물들도 이에 적극적인 찬동을 보냈다.

대한협회 선산지회 설립도 그의 강연활동에 힘입은 바가 적지 않았
다. 이전부터 전개한 대구광문사 활동은 이러한 인적 교류와 소통에
중요한 기제로서 작용하였다. 이에 李愚稷·金相基 등은 교육내실화를
도모하기 위하여 침식과 가사·여가를 잊은 채 열성적이었다. 학도는
90명이나 호응하는 등 이들의 열성적인 활동에 호응하고 나섰다. 노동
야학과 설립에 노동자는 90명이나 입학하는 등 향학열을 고조시켰다.79)
본군 세무서장 金永植과 주사 趙瑾植, 법률사무원 安麟植 등도 각각
의연은 물론 학생들에게 일장 권면하는 등 향학열을 고취시켰다.

교남교육회 활동에도 초기부터 매우 적극적이었다. 규칙기초위원·
평의원으로서 그는 이 단체 기초를 수립하는 데 중추적인 역할을 담당
하였다. 김광제는 南亨祐·李根泳 등 5인과 함께 도서부 편술원과 교
육부 학무원으로 피선되는 등 막중한 직책을 맡았다.80) 대한협회 호남

78) 『황성신문』 1908년 6월 17일 잡보 「彰校益彰」.
79) 『황성신문』 1908년 9월 15일 잡보 「彰善益彰」, 9월 24일 잡보 「善校美況」.
80) 교남교육회, 「회중기사」, 『교남교육회월보』 1, 1909, 47~49쪽.

시찰원으로서 충실한 직무 수행은 그로 하여금 사회적인 신임을 얻는
요인이었다.

그는 1908년 4월 15일 교남교육회 임시총회에서 「교육과 會의 관
계」라는 제목으로 강연하였다.[81] 강연은 주로 김광제를 비롯하여 崔
延德·金重煥·李覺鍾·朴晶東·尙灝·南亨祐·윤효정·정운복 등이 맡
았다. 이처럼 대한자강회·대한협회 등 정치사회단체와 대동문우회·
교남교육회 등 각종 학회에도 가입·활동하였다. 동시에 기관지·잡
지·계몽도서 편찬·발행과 민중계몽을 위한 강연활동도 활발하게 전
개했다.

기호흥학회에서는 기고문을 투고하는 등 폭넓은 활동과 교류를 병
행하였다. 기관지에 게재된 다음 글은 초지일관된 교육관을 보여준다.

> …(상략)… 所以學衰의 害가 人에 及ᄒ고 人衰의 害가 國에 及
> ᄒ얏도다. 以國言之면 我韓이 二十世紀 新天地를 當ᄒ야 文明의
> 旗를 始揭ᄒ고 闊步前進홀 氣像이 有ᄒ야 與開明이 已久에 衰柳
> 殘照의 影響이 不遠흔 者로 同言키 不可ᄒ니 是知少年國이오 決
> 非老年國也로다. 噫라 以我堂堂흔 少年國으로 人 亦 學少年ᄒ야
> 進進不已면 勇斷堅確흔 特性을 世界에 公示홀지어늘 奈之何安
> 逸怠惰로 自暴自棄, 不才不能의 地에 堪處ᄒ야 一寸의 進步와
> 一鼎의 扛力이 無ᄒ뇨 若此不已면 人與國이 俱爲衰退ᄒ야 自招
> 滅絶ᄒ리니 可不寒心痛歎哉아. 然則 夫我國人이 一體決心ᄒ야
> 老年性習을 除却ᄒ고 更以少年氣力으로 學得少年步武ᄒ고 做得

少年事業ᄒ야 使我少年國界로 億萬年無疆ᄒ 少壯의 福을 享有
케 흠을 是所志願이로라.[82]

학문적인 발전은 곧 국가부강을 일으키는 근본적인 요인이다. 그런
학문이 쇠퇴하면 곧 나라가 쇠약해질 수밖에 없다. 한국인은 20세기
'신천지'를 당하여 문명사회 건설을 위하여 기치를 세웠다. "이때를 놓
치지 말고 열심히 학문에 정진해야만" 소기의 목적을 달성하는 지름길
이다. 그런 만큼 청소년은 무엇보다 신학문을 배워야 이에 부응할 수
있는 최소한 요건을 구비할 수 있다. 「학계요설」도 이러한 목적을 강
조하기 위함이었다.[83] 俞吉濬·金嘉鎭 등과 더불어 노동야학회에도
가담하는 등 노동자 권익에 앞장섰다. 그의 구체적인 활동상은 크게
나타나지 않으나 총무라는 중책을 맡았다.[84]

한편 친일세력을 규탄하는 연설회에도 적극적이었다. 동양자는 기
독교청년회관에서 개최된 송병준 죄악상을 성토하는 데 앞장섰다. 연
제는 그의 「公論과 勢力」을 비롯하여 金明濬·姜玩熙·趙琬九 등의
「善善惡惡은 人의 天賦」·「悖行懲勵의 本義」·「輿論을 無視한 結果」
등이었다.[85] 친일파에 대한 비판은 훼손되는 민족정기를 올바로 세우
려는 의도였다.

---

82) 김광제, 「願學少年」, 『기호흥학회월보』 3, 1908, 12~13쪽.

83) 김광제, 「학계요설」, 『기호흥학회월보』 7, 1909, 9~10쪽.

84) 『황성신문』 1908년 7월 21일 잡보 「쌔함 氏答函」, 7월 23일 잡보 「請認勞働夜
   學」, 8월 4일 잡보 「勞働總會」, 8월 7일 잡보 「勞働懇親」.

85) 국사편찬위원회, 「警視總監機密報告(隆熙 3年 2月 28日 號外)」, 『駐韓日本公使
   館記錄』.

3) 출판 · 문화활동

출판활동과 관련하여 주목되는 부분은 대동월보사 설립이었다. 『대동보』는 1907년 3월 1일 창간호를 발간한 월간잡지였다. 초기 임원진은 알 수 없으나 그는 3호부터 사장 겸 발행인으로 나온다. 주요 필진은 동양자를 비롯하여 羅憲庠 · 金思烈 · 崔承學 · 尹聖善 · 金宗漢 · 정운복 등이었다. 편집인은 최승학이 맡았다. 분량은 70~80쪽에 달하는 종합잡지였다.

발간목적은 인민의 임무, 교육의 실제, 식산흥업, 사회효과, 세계 奇聞의 요점 등을 수집하여 국민의 지식을 증진함이었다.[86] 특히 각종 신문에 보도된 국채보상의연금 총금액과 '모범적인 사례'로 추정되는 주요 의연자 명단을 게재하였다. 제4호 목차는 다음과 같다. ① 논설 －學人興替各有差異之方法 · 秋夜看書歎在野之賢人 · 無恥魚說(이상 최승학) · 歎自强會解散嫉說(김광제) · 對鏡悲, ② 정치－變政體之必要(鄭鎬德), ③ 법률－법률의 원칙을 사법 諸公께 고하노라(李輔相), ④ 교육－保敎가 非所以尊孔子(黃杜顯 역) · 保心靈軀殼之急務(김종한) · 警告各郡士林 · 勸勉湖西敎育(이상 김광제), ⑤ 실업－農政刷新之急務, ⑥ 위생－위생의 필요는 種痘에 在함(孛隱子), ⑦ 기서－保舘의 有益(禹泰鼎) · 藝窓秋感(진주 姜文煥) · 病夫猥言(晚齋生), ⑧ 文苑－達城廣文社序文(李炳璜) · 普通方藥指南序(笑坡生), ⑨ 詞藻－哭閔忠正(田喜鎭) ·

---

86) 나현상, 「대동사월보취지서」 · 「사설」, 『대동보』 창간호, 1907, 1~2쪽과 2~3쪽 ; 대동월보사, 「주의」, 『대동보』 3~4 참조 ; 首陽山人 우태정, 「기서, 保舘의 有益」, 『대동보』 4, 32~34쪽.

哀被死將卒(鄭雨興) 등 海東異蹟·言壇·述夢言, ⑩ 휘보―관보·외
보·시사기문·지방정보 등이었다. 부록에는 국채보상의연금 집송 인
원급 實數·국내우체요람 등을 게재하였다. 교육란은 청말 지식인 양
계초의『음빙실문집』중 근대교육 관련된 번역·게재했다. 국권회복
을 위한 계몽적인 잡지인『대동보』는 1908년 1월 25일 통권 6호로 종
간되었다.[87]

동양자는 그와 동료들이 전개하는 계몽단체 활동과 목적을 홍보하
는 등 언론활동을 병행하였다.「경고 각군 사림」·「권면 호서교육」등
은 대표적인 사례 중 하나이다.[88] 후자에서는 대구광문사 활동 등을
선구적인 사례로서 소개했다. 이는 자신의 고향인 호서지방이 다른 지
역에 비해 부진한 문화계몽운동을 고무시키려는 소박한 의도도 담겨
있었다.

한편 새로운 사조에 대한 정보를 제공하기 위한 일환으로 李章薰·
李愚烈·朴齊成·李建祿·黃柱顯·李觀鎔 등과 書籍縱覽所인 광동서
관서적종람소를 설립하였다. 발기총회 장소와 임시사무소는 경성탁아
원이었다. 여기에는 저술소·인쇄소·서적발행소 등을 부설로 두었
다.[89] 이들은 취지서를 발표하는 등 자신들의 지향하는 바를 천명하
기에 이르렀다.

---

87) 이동언,「대동보」,『한국독립운동사사전(운동·단체편)』4, 한국독립운동사연구
    소, 2004.
88) 김광제,「警告各郡士林」·「勸勉湖西敎育」,『대동보』4, 22~23쪽과 23~26쪽.
89)『황성신문』1908년 9월 22일 잡보「書籍縱覽所協議」, 9월 29일 잡보「光東書觀
    新設」.

…(상략)… 社會諸賢과 學校羣英이 比前日讀書家에 不翅倍徒어
늘 有書而力或難及於購覽하고 有力而書或未及於廣佈면 是는 文
明界의 一大缺點인즉 亟開書舖하고 咸萃古今東西各種書類하야
以供學者의 無窮之求하야 資其博觀泛覽이 洵爲文明發達之大基
礎而今日之最先務也니. 此ㅣ 光東書觀縱覽所之必設於通衢大都 萬
人往來之地者也니라. 然而書舖를 一開則有著述之所焉하며 有印
刷之所焉하니 紙墨之費와 工役之需가 必須財政일ᄉᆡ 另實賣却所
하니 意欲使覽者로 獨綮오 計非在商家의 龍斷이니 伏願志于學하
시는 僉君子는 此를 照諒하시고 惟意來覽하며 惟意來購하시면
本觀은 오즉 無窮토록 供ᄒᆞ야 大東文明이 世界의 第一地位를 占
ᄒᆞ기를 期圖홈.[90]

학생과 지식인에게 필요한 각종 교과서와 교양서적 등을 널리 제공
하려는 의도였다. 특히 저술가에게는 출판 등 재정적인 지원까지 알선
하려는 계획이었다.

평양에 거주하는 金興淵는 청년재사로서 新進事業 일환으로 군내에
서적종람소를 설치하였다. 목적은 각종 서적과 신문·잡지 등을 두루
구비하여 인민의 학식개발을 권면하기 위함이었다. 이러한 활동에 대
하여 당시 언론은 대단한 찬사를 아끼지 않았다.[91] 그는 서적종람소의
유용성에 대하여 일찍부터 간파하고 있었다. 勞動夜學會에서 총무로
활동은 이러한 인식을 실천하는 문제로 귀결되었다.[92] 이는 1920년대

90) 『황성신문』 1908년 10월 6일 잡보 「趣旨發布」.
91) 『황성신문』 1906년 2월 27일 잡보 「志士美擧」, 3월 28일 논설 「賀大同書觀之設
立」, 4월 9일 잡보 「大同書觀趣旨書」.

조선노동대회를 조직하여 노동자 권익을 위한 활동으로 계승되었다.

한편 대구광문사 발간물은 학교에서 사용하는 교과서를 비롯하여 계몽잡지나 교양서적 등 다양하였다. 특히『越南亡國史』간행은 국채보상운동을 확산시키기 위한 방편으로 보인다. 당시 번역본『월남망국사』간행에 참여한 대부분의 인사들은 국채보상운동에 적극적으로 참여하였다. 1906년에 간행된 玄采의 국한문 번역본과 이를 다시 국문으로 번역한 周時經 번역본과 李相益 번역본 등이 있었다. 이는 널리 보급된 일반인의 필독서이자 사립학교 교재로도 사용되었다.93) 대구광문사에서 간행된『월남망국사』서문을 쓴 張相轍은 국채보상운동 발기인 중 1인이었다. 국한문으로 번역한 현채 또한 국채보상운동에 적극 참여하였다.『월남망국사』발매소였던 金相萬 · 高裕相 · 朱翰榮 등의 서점은 국채보상의연금수전소였다. 또한『대동보』도 발매하는 등 밀접한 연관성을 갖고 있었다.94) 이들과 국문번역본『월남망국사』의 번역자 이상익과 교열자 玄公廉 등도 모두 국채보상기성회 발기인이었다.95)

『경제학교과서』도 대구광문사에서 간행한 주요 간행물 중 하나이다. 저자는 일본인 和田垣謙三이었다. 독자들에게 경제적인 개념을 보급하기 위하여 李炳台가 譯述하고 金鳳俊이 校閱하였다. 발매소는 서

92)『황성신문』1908년 8월 4일 잡보「勞働總會」.

93) 최기영,「국역 월남망국사와 국권회복운동」,『한국근대계몽운동연구』, 일조각, 1997, 45~55쪽.

94) 대동월보사,「광고, 대동월보발매소」,『대동보』3, 1907.

95) 이동언,「김광제의 생애와 국권회복운동」,『한국독립운동사연구』12, 135쪽.

울 전동 光東書局, 布屛下 廣學書舖, 종로 大東書市, 남문외 新舊書林, 광교 匯東書館, 상동 博文書館, 洞口 中央書館, 동현 博學書館 등이었다.[96] 각지에서 행한 연설문도 단행본으로 발간하여 강연과 연설이 지닌 중요성을 강조하였다. 1909년 3월 광동서관에서 간행된 강연집은 명연설가이자 계몽론자로서 진면목을 잘 보여준다. 서문은 장지연, 편집인은 石儂 李鎬鎭, 찬사는 大寧 崔承學이 각각 썼다.[97]

제국신문찬성회 발기인 동참도 새로운 정보를 보급·수집하려는 목적과 무관하지 않았다. 여성교육 확대는 『제국신문』 보급에 따라 좌지우지되는 상황이라고 보았다. 「가정과 신문」이라는 연제로 행한 강연회는 동양자의 언론관과 여성관을 보여준다.[98] 「여학교설립의 문제」· 「자선부인회 연설」· 「여자교육의 취지」· 「부인도 권리를 회복할지어다」 등등은 여성교육을 강조한 주요 사료이다. 그는 광범위한 근대여성교육에 의한 평등사회 구현을 꿈꾼 선각자였다.[99]

1909년 6월 자본금 3,000원으로 『漢陽日報』 간행 준비도 이러한 취지에서 비롯되었다. 신문이 갖는 사회교육적인 측면에 주목한 인식도 여기에서 찾아진다.[100] 언론·출판활동은 원활한 소통을 확대하는 동시에 민중의식을 심화시키는 든든한 기반으로 인식하였다.

---

[96] 『황성신문』 1908년 5월 12일~7월 24일 광고 「經濟學教科書 全一冊 定價 金四十錢 李炳台 譯述 金鳳俊 校閱」.

[97] 위원회, 「연설집」, 『유고집(증보판)』, 285~320-10쪽.

[98] 『황성신문』 1908년 10월 1일 잡보 「帝國新聞贊成會演說」 ; 『대한매일신보』 1908년 8월 18일 잡보 「데국신문찬성회」,

[99] 위원회, 『유고집(증보판)』, 298~300 · 304~305 · 309~311 · 320~320-2쪽.

[100] 『황성신문』 1909년 6월 29일 잡보 「兩氏新聞刱刊計劃」.

5. 맺음말

국채보상운동 주역인 김광제는 사숙에서 전통교육을 받았다. 23세
인 1888년 무과에 합격·관계에 진출한 이래 1902년까지 약 15년간 재
직하였다. 중간에 관직에서 물러나 오랫동안 고향 남포에 은거하면서
후일을 도모했다. 전국 각지로 유람과 교유는 현실문제에 대한 관심을
더욱 기울이는 계기였다. 이처럼 관직생활은 급변하는 시대상황 만큼
원만하지 않았다. 1896년과 1905년 전남 지도군 고군산도로 유배 등은
이를 반증한다. 이와 더불어 유회군과 의병 활동 등 다양한 경험은 현
실인식을 심화시키는 요인이었다.

그가 재직한 주요 관직은 동래경무관과 삼남찰리사 등이었다. 공직기
강 확립을 위한 활동은 지배체제 문란 등으로 커다란 성과를 거두기에
역부족이었다. 오히려 중앙 지배층과 결탁된 지방관들은 악의적인 보고
나 순조로운 활동마저 방해를 일삼았다. 1902년 말경 관직에서 물러난
이래 주요 현안에 대하여 동지들과 상소문을 올리는 등 현실문제에 적
극적인 입장이었다. 윤이병 등과 공제소를 조직하여 상권 보호와 경제
자립화에 앞장섰다. 또한 국위선양을 위한 명성황후영세불망비 건립과
신라 28대 왕릉에 대한 보존 방안도 강구했다. 1905년 12월 올린 상소문
은 대한제국이 처한 현실을 가장 적절하게 지적하였다. 하지만 그의 주
장은 현실정치에 수용될 수 없는 척박한 현실이었다. 이와 같은 한계를
극복하는 방안은 문화계몽운동 투신으로 전환되지 않을 수 없었다.

을사늑약 이후 김광제는 활동무대를 대구로 옮겼다. 그는 이일우·
서상돈 등과 대구광문사를 설립하는 등 출판활동과 교육활동에 투신

하였다. 신태휴 등 지방관이나 현지 유지인사와 협력과 교류는 활동영
역을 확대하는 기반이었다. 사립학교설립운동·출판운동·언론활동·
학회활동 등 다양한 영역에서 활발한 활동은 그를 당대 주요한 활동가
로서 부각시켰다. 종합잡지인『대동보』발간, 서적종람소 설립,『한양
일보』발간을 위한 준비 등도 국민의식을 일깨우려는 목적에서 비롯되
었다. 다양한 문화계몽활동에도 '국채보상운동=김광제·서상돈'이라는
이해와 인식은 거의 변화되지 않은 현실이다. 1910년대 경남 마산에서
문예활동·출판활동과 3·1운동 이후 조선노동대회를 통한 노동운동
주도 등은 이러한 역사적인 경험에서 비롯되었다.

　그는 대한협회 호남시찰원으로서 전주·김제·광주·무안·군산 등
지에서 행한 연설로 이곳 문화계몽운동을 확산·진전시켰다. 현지 설
립인가된 대부분 지회는 사실상 동양자의 활동에 힘입은 바나 다름없
었다. 경북 개령·김천·선산지역 방문과 강연회도 근대교육 보급에
'촉매제'나 다름없었다. 또한 기호흥학회 임원으로 활동하는 등 민지계
발을 더욱 박차를 가하였다. 자발적인 순회강연회 참여는 당대를 대표
하는 명연설가로서 명성을 얻었다.

　동양자 삶의 궤적은 심화된 현실인식에 기초하여 이를 활동한 실천
가였다. 다양한 활동영역과 실천성은 제대로 평가하기에 역부족임을
절감한다. 그의 삶을 고스란히 온축한 다음 글을 언급하면서 마무리하
고자 한다.

　　내 비록 英敏하지 않으나 많은 사람을 만나 보았다. 각각의 사회
　　에서 사람들은 모두 내가 의무감도 있으며 열성이라고 하지만,

지난날을 되새겨 보고 실천한 것은 생각해보면 과연 의무감과 열성으로 한 것은 실로 많지 않다. 혹은 말을 먼저 하고 일을 실행하지 않으며, 혹은 시작은 있으나 마침은 없으며, 험한 일을 만나면 회피하고 어려운 일을 당하면 물러나 특별히 이룩한 일은 없다. 그런데 동양자 김광제 같은 경우는 내 일찍이 한 번도 본 적은 없으나 매번 신문과 서적에서 그의 이력을 보았었다. 또한 지인이 목도하고 들은 것을 전해주는 것으로 그의 경력을 논한다면, 과연 <u>의무감과 열성은 남보다 백 배 뛰어나다.</u> 험한 일을 만나면 더욱 천착하고 어려운 일을 당하면 더욱 힘써서 목숨이 걸린 일에도 두려워하지 않고 의리를 보면 실행하는 것은 <u>경향에서 모두 알고 있다.</u>

문학사회에서 실지에 종사한 것으로 말하더라도 경성과 삼남 각지에 현재 드러난 업종이 종종 있다. 그리고 또한 <u>현재 맨손으로 홀로 경남지방에 정착하여 동지를 모아</u> 우선 서적종람관을 설치하고 이어 남선인쇄소를 세웠고, 다음에는 문예구락부로 新舊의 많은 선비를 흥기시키니, 내 실로 축하하기를 마지않는 것은 이 때문이다(밑줄은 필자주).[101]

이 글은 충남 홍주군에 거주하는 김병년이 『마산문예구락부』 창간호 발간에 즈음하여 보낸 축문이다. 그의 표현대로 동양자 인생역정은 당대의 변화무쌍한 상황만큼 한 마디로 표현할 수 없는 필자의 능력부족을 절감한다.

---

101) 金炳年, 「축문」, 『마산문예구락부』, 마산문예회구락부, 1913, 3쪽 ; 박태일, 「마산 근대문학의 탄생과 『마산문예구락부』」, 『인문논총』 28, 22~23쪽에서 재인용.

참고문헌

『독립신문』,『大韓每日申報(국한문혼용판)』,『대한매일신보(한글판)』,『황성신문』,『제국신문』,『만세보』,『경향신문』.

『대한자강회월보』,『대한협회회보』,『기호흥학회월보』,『교남교육회잡지』,『대동보』,『광복회보』.

『승정원일기』.

黃 玹,『梅泉野錄』.

鄭 喬,『大韓季年史』.

金允植,『續陰晴史』.

李承熙,『韓溪遺稿』.

『東萊監理各面署報告書』 규장각#18147.

『各部指令存案』 규장각#17750.

『訓令照會存案』 규장각#19143.

『관보』,『주한일본공사관기록』,『통감부문서』.

대천문화원,「김광제 경묘비」·「김광제 묘표」,『보령의 금석문』, 2010.

석남김광제선생유고집발간위원회,『독립지사 김광제선생 유고집(증보판)』, 국채보상100주년기념사업회, 2007.

한국독립운동사연구소,『龍淵 金鼎奎日記』 중, 1994.

조항래,『국채보상운동사, 국채보상운동 100주년기념』, 아세아문화사, 2007.

김도형,「한말 대구지역 상인층의 동향과 국채보상운동」,『계명사학』8, 계명사학회, 1997.

김형목,「나랏빚 청산으로 자주독립국가 수립을 꿈꾼 주역, 김광제·서상돈」,『통일로』222, 안보문제연구원, 2007.

김형목,「충남지방 국채보상운동의 전개양상과 성격」,『한국독립운동사연구』35, 한국독립운동사연구소, 2010.

김형목, 「나라빚은 망국임을 일깨운 선각자, 김광제・서상돈」, 『순국』 242, 사단법인순국선열유족회, 2011.

박연실, 「김광제의 생애와 활동」, 충남대석사학위논문, 1998.

박용옥, 「국채보상을 위한 여성단체의 조직과 활동」, 『한국근대여성운동사연구』, 한국정신문화연구원, 1984.

이동언, 「김광제의 생애와 국권회복운동」, 『한국독립운동사연구』 12, 독립기념관 한국독립운동사연구소, 1998.

이동언, 「대구에서 국채보상운동의 깃발을 세운 김광제」, 『대구의 문화인물』 1, 대구광역시, 2006.

최종고, 「한국의 법률가상; 석람 김광제」, 『사법행정』 314~315, 한국사법행정학회, 1987.

찾아보기

김형목

- 독립기념관 한국독립운동사연구소 책임연구위원.
- 중앙대학교 사학과 졸업, 동 대학원 문학석사·문학박사(한국근대사 전공).
- 한국민족운동사학회장, 한국민족운동사학회편집위원장, 동국사학회 편집위원 역임.
- 현재 나혜석학회 연구이사, 육군본부 군사연구소 편집위원, 한국사학회 지역이사, 한국교육사학회 연구이사, 한국여성사학회 편집이사, 백산학회 연구이사 등으로 활동.
- 주요 저서는『노백린의 생애와 독립운동(공저)』,『대한제국기 야학운동』,『한국 근대 초등교육의 발전 2(공저)』,『한국근현대인물강의(공저)』,『최송설당의 생애와 육영사업(공저)』,『교육운동 : 한국독립운동의 역사 35』,『안중근과 동양평화론(공저)』,『나혜석, 한국근대사를 거닐다(공저)』,『근대의 기억, 학교에 가다(공저)』,『100년 전 사진으로 만나는 한국·한국인(공저)』,『김광제, 나랏빚 청산이 독립국가 건설이다』,『여주독립운동사 개설』,『나혜석, 한국문화사를 거닐다(공저)』,『최용신, 소통으로 이상촌을 꿈꾸다』,『나혜석, 나의 길을 가련다』,『남당학과 홍주정신의 전개(공저)』,『일제강점기 한국초등교육의 실태와 그 저항(공저)』,『이것이 안산이다(공저)』,『청양의 독립운동사(공저)』,『대한제국기 경기도의 근대교육운동』,『대한제국기 충청지역 근대교육운동』 등 다수.